KB195956

천일의 수도, 부산

부산 없으면 대한민국 없다

[일러두기]

*게재된 사진, 지도 등은 대부분 부산광역시 홈페이지의 도움을 받았습니다. 출처 표시를 하고 사용할 수 있다고 허용된 VISIT BUSAN의 부산여행사진 중 제1유형의 작품[VB]을 비롯하여 『부산고지도』와 부산광역시에서 발간하여 향토사 도서관에 비치된 부산역사서인 『원도심 역사의 발자취를 찾아서[원]』, 『시대별로 한 눈에 보는 부산 역사산책[역]』의 소중한 자료를 재인용할 수 있었던 데 대해여 다시 한 번 감사를 드립니다.

천일의 수도, 부산

부산 없으면 대한민국 없다

김동현 지음

새로운사람들

'부산 이야기'를 읽고

구대열(이화여대 명예교수)

외우(畏友) 한산(韓山) 김동현 군의 '부산 이야기'를 읽고 나니 우선 부끄러워졌다. 그리곤 곧 엄청난 감동이 밀려왔다. 韓山은 섬진강변에서 부산으로 유학 와서 3년을 보냈고 나는 고성에서 부산으로 나가 3년을 보냈다.

인생에서 3년은 짧다면 짧은 시간일 것이다. 그러나 십대 후반기 3년은 엄청 긴 세월이다. 이제 70을 훨씬 넘긴 우리에게 고등학교 시절은 잊히지 않은 추억의 조각들로 가득 차 있다. 그러나 나는 그 뒤 부산을 잊고 살았다. 韓山은 부산에서의 경험을 상기하면서 부산에 관한 자료들을 찾고 모으고 정리했다. 그가 이 책에서 풀어 놓은 부산의 역사와 지리, 문물에 관련된 놀라운 이야기들이 그 결과물이다.

명색이 동아시아와 한국근대외교사를 전공한다는 나는 부산에 대해 아는 체했을 뿐 너무 몰랐다. 삼포(三浦)개항이나 임진왜란 중 부산해전, 1876년 강화도조약으로 첫 번째 개항한 항구, 그 후 일본인들이 대거 진출하여 초량 등 조선 안의 왜인들이 거주하던 도시였으며 이후 내가 다닌 고등학교 앞은 미군이 주둔한 하야리야 부대가 있던 거리였다는… 부산의 별로 유쾌하지 않은 부분만을 기억하고 있었다. 이것이 韓山의 책을 읽은 뒤 부끄러웠던 이유였다.

오륙도, 김한규[VB]

　우리들 대부분은 부산이 개항과 더불어 새로운 문물들이 거의 대부분 최초로 들어온 도시였고, 비록 타의에 의한 근대화였지만 이를 앞서 받아들이면서 부를 축적했으며, 6.25 전쟁 때는 '대한민국'을 지킨 마지막 보루였다는 자랑스러운 사실은 까마득하게 잊고 살았다. 부산은 또 태백산맥 끝자락이 바다에 닿아 평지가 부족한 땅이라는 어려움을 극복하면서 악착같이 살아간 사람들, 자갈치 아지매들이 만들고 키워 간 도시이다.

　바다와 산이 어우러진 풍광 또한 아름답다. 韓山과 내가 다니던 고등학교 교정에서 내려다보면 저 멀리 수평선이 펼쳐져 있고 그 가운데 오륙도가 한 폭의 그림같이 떠있는 절경은 한국의 어느 학교도 가질 수 없는 축복이었다.

이제는 고층빌딩과 운무에 가려 보이지 않지만….

먹거리는 어떠한가? 서울에 올라와서 소금에 절이고 말라 비뚤어진 생선조각이 맛있다고 먹는 걸 보고는 비록 부유하게 살지는 못했지만 한심하다는 생각을 지울 수 없었다. 생선은 크고 작은 놈마다 맛이 다르고 각 부위마다 맛이 다르고 또 뼈를 씹는 맛이 있는데 이런 걸 모르고 비싼 생선이면 다 맛있는 줄 아는 '서울내기들'이나 갯가의 풍요로움을 모르는 산골 동네 양반들을 보면 웃음이 절로 나왔다. 사철 허리가 휘어지도록 거름 주고 논밭 갈면서도 수확은 하늘의 뜻에 맡기는 사람들이 모든 걸 키워주고 베풀어주는 바다의 풍요로움을 어떻게 느끼겠는가?

나 스스로 이 나이에도 개방적이라 믿으며 고리타분한 것을 싫어한다. 좀 고상한 말로는 우상 파괴적이다. 아마도 매일 같이 소금기 품은 바닷바람에 마사지하면서 낡은 생각을 씻어 버린 탓이 아닌가 한다. 부산은 일본과의 교역이나 해 먹고 사는 경상'하도'이고, 그 옆에 있는 마산은 3.15 의거 때 '밀수나 해먹고 사는 갯가동네'라고 말하던 서울 사람들의 말을 믿고 자조하던 때도 있었다. 韓山의 책을 읽으면 이와 같은 생각이 말끔히 씻길 것이고 이 항구도시의 과거와 현재, 미래가 새로운 그림으로 펼쳐져 보일 것이다.

부산, 그 부산한 이바구 - '부산 없으면 대한민국 없다'

유 자 효 (한국시인협회장. 시인)

 반만년 역사를 갖고 있는 우리나라는 어느 한 곳 내력없는 곳이 없지만, 내 고향 부산이 이렇게 이야기가 풍부한 고장인 줄 미처 몰랐다. 대한민국의 제2 도시, 세계적인 항도(港都) 부산이 조선시대만 해도 최전선 전방으로 시작됐다는 것부터가 신기했다.

 그 부산이 갖고 있는 국내 1호들. 고구마 재배, 양조장, 공중목욕탕, 은행, 병원, 영화관, 영화사, 영화제, 야구, 민간상업방송, 우체국, 민간의료보험조합, 공설 해수욕장, 서핑, 뮤직박스, 가라오케, 담배, 찜질방, 이태리타월, 구공탄, 버스·지하철 연계 교통카드, 국채보상운동, 기차역 등이 모두 부산에서 비롯됐다는 것이 경이로웠다.

 이 글의 미덕은 우선 재미있다는 점이다. 언론인 출신 작가의 구수한 입담과 글 솜씨가 독자를 순식간에 이바구(이야기) 속으로 끌어들인다. 부산의 지명 하나에도 모두 깊은 사연이 깃들어 있어, 오늘 우리가 이 땅에 자리 잡고 있음이 예사롭지 않음을 느끼게 한다.

 많은 자료들을 세세하게 검증해 '신(新) 부산 택리지(擇里志)'로 꾸며낸 저자의 부지런함에 경의를 표한다. 그의 애향심과 노력, 유려한 문장으로 우리는 부산을 재발견하게 되었다.

 이 책은 부산 사람들만의 이야기가 아니다. 한국인 모두가 공유하

부산시민공원[VB]

는 정서이다. 또한 부산이 우리나라 최초의 무역항이라는 국제성을 갖고 있다는 점에서 세계인의 공감 폭도 크다.

충무공 이순신 장군이 임진왜란 때 나라를 먹여 살린 곡창임을 강조해 '호남 없으면 나라 없다(若無湖南 是無國家)'라고 했는데, 부산은 6.25 때 전국의 피난민들을 품에 안고 끝내 나라를 지켜냈으니 '부산 없으면 대한민국 없다(若無釜山 是無韓國)'라고 하겠다.

코로나19의 끊임없는 도전으로 우울한 이때, 희망과 용기를 북돋아주는 좋은 읽을거리이다. 아무쪼록 널리 읽혀 새로운 발견들을 하는 기쁨을 함께 하시길 바란다.

부산, 21세기 대항해시대의 등대이자 베이스캠프

2000년대 초반 나는 〈부산고등학교 60년사〉 편찬작업을 하면서 학교 전사(前史)에 해당하는 부산공립중학교에 관한 자료수집을 위해 일제 강점기 때 부산공립중학교를 졸업한 일본인들을 만나러 오사카에 간 적이 있다. 부산에서 후배가 온다는 연락을 받고 멀리 큐슈와 도쿄에서 찾아온 일본인 동문들도 있었다.

이들은 많은 이야기 대신 〈그리운 부산〉이라는 책을 나에게 주었다. 패전 후 일본으로 돌아간 동문들이 부산시절을 그리워하며 쓴 추억들의 모음집이었다. 그 책에는 학교 내의 생활뿐만 아니라, 범어사 소풍, 금강산 수학여행 등에 얽힌 갖가지 일화들이 가득했다. 심지어 오륙도 지명의 사연과 섬 이름까지 하나하나 정확히 기록되어 있었다. 백발이 성성한 70대들이었지만 '고향'이라고 하면 항상 초량언덕길이나 용두산공원, 동래온천, 해운대가 떠오른다고 했다. 고향을 쉽게 갈 수 없었기에 더 더욱 그리웠는지도 모른다.

정유재란 때 군량미 이송도중 왜군에 붙잡힌 형조좌랑 강항은 일본으로 끌려가 볼모생활을 하면서 고국이 얼마나 그리웠던지 "대마도라도 나가서 부산의 한 곳만 바라볼 수 있다면 아침에 갔다가 저녁에 죽어도 여한이 없겠다"는 글을 남겼다.

나는 전라도와 맞닿은 지리산 자락 하동의 벽촌 호롱불 아래 살다가 고등학교 3년간 부산 유학생활을 했다. 감수성이 예민한 10대 중반, 낯선 대도시 부산에서 더부살이 생활을 시작할 당시 도농(都農)간의 엄청난 생활격차와 문화적 충격을 나는 평생 잊지 못하고 있다.

호암 이병철 선생이 서당에 다니다가 11살 때 머리를 싹둑 자르고 진주보통학교에 입학하면서 '나의 개화의 날'이었다고 회고했는가 하면, 괴테가 이탈리아를 여행하던 첫날 일기에 '오늘은 내가 다시 태어난 날'이라고 썼던 그런 느낌이었다.

모교 졸업 후에는 줄 곧 서울생활을 하면서 젊은 시절 바쁜 일상으로 인해 부산은 마음속에만 품고 살아야 했다. 가끔씩 아련한 추억이 푸른 파도처럼 밀려오면 가슴 아리도록 부산 시절이 그립기도 했다. 불혹의 나이가 들고서야 나는 내 삶의 오솔길이자 디딤돌이었던 부산 구석구석에 남다른 관심을 갖고 찾아보기 시작했다.

그동안 책과 여행은 부산을 읽는 두 가지 키워드였다. 불후의 걸작 〈사기〉를 남긴 사마천이 부럽거든 만 권의 책을 읽고 만 리 길을 나서라는 중국속담이 있다. 독서는 앉아서 하는 여행이고 여행은 걸으며 읽는 책이기 때문이다. 게다가 평소 어린이들이나 가질 법한 "왜 그럴까"라는 남다른 호기심이 부산 탐구에 많은 도움이 되었다. 내가 존경하고 가까이 지냈던 법정스님이 언젠가 "호기심으로 탐구하는 노력이 끝나는 순간 노인이 되고 죽음이 다가온다"고 하셨던 말씀이 이 책의 탄생에 밑거름이 되었던 것도 사실이다. 나는 다행히 첫 직장인 언론사에서 탐사취재 훈련을 엄격하게 받은 기자출신이라 각종 자료수집에 나름대로 노하우가 있었다.

부산 인문기행이라고 할 수 있는 이 책은 나의 특별한 부산사랑 편린들이다. 살다보면 친구나 연인은 내 곁을 떠날 수도 있지만, 사랑하는 도시는 내 마음을 버리지 않는다. 특이할 것 없이 평범해 보이는 공간도 신화와 전설, 역사 등 숨은 이야기가 더해지면 정겹고 아름답고 비범해지면서 문화유산이 된다. 인문의 색깔이 더해진 부산은 보다 품격 있고 아름다운 도시가 될 것이다. 진정한 여행이란 새로운 풍경을 보는 것이 아니라, 같은 풍경이라도 새로운 눈으로 보는 것이기 때문이다.

성리학을 집대성한 주자는 〈근사록〉에서 '알면 좋아하게 되고 좋아하면 반드시 찾게 된다(知之必好之 好之必求之)'고 강조한바 있다. 부산을 방문하는 독자들은 이 기행문을 통해 무성한 겉모습의 풍광뿐만 아니라, 그늘 속에 가려지고 땅 속에 묻혀있는 숨겨진 이야기들을 접함으로써 부산을 보다 사랑하고 가까워지기를 바란다.

영화 '기생충'으로 아카데미 4관왕이 된 봉준호 감독이 "개인적인 것이 창의적이다"라고 수상소감에서 밝혔듯이, 20세기의 획일화된 산업화시대와는 달리, 21세기는 남과 다른 차별화가 새로운 가치로 부각되고 있다. 사람이나 상품뿐만 아니라, 도시도 차별화된 로칼리즘이 새로운 경쟁력으로 떠오른다.

어디를 가든 똑 같은 호텔이 아니라 현지인들처럼 생활하고 싶어서 에어비엔비를 찾는다. 표준어의 물결 속에 점점 사라져가는 지방 사투리는 지역문화재라고 할 수 있다.

모험주의 소설의 대표라고 할 수 있는 허만 멜빌의 〈백경〉에 등장하는 1등항해사 스타박의 애호가들이 모여 시애틀을 커피의 도시로 만들었고, 아름다운 자연과 활기찬 아웃도어로 미국에서 가장 걷기 좋은 도시 포틀랜드는 나이키를 출산했으며, 스웨덴의 소도시 알름훌트는 값싸고 내구성 좋은 실용주의 생활문화를 바탕으로 이케아를 탄생시켰다.

부산은 식민지 조선과 일본을 잇는 관문으로서, 무수한 재난과 절망 속에 꽃을 피운 의지의 도시다. 부산은 식민도시, 피난도시, 산업도시를 거쳐 국제해양문화도시로 발돋움하고 있다.

부산은 개항과 전쟁과 산업화와 민주화를 압축적으로 보여주는 한국 근대사의 압축도시이다.

세계에서 그 유례를 찾기 힘들 정도로 다양한 콘텐츠를 안고 있는 부산이 창의적인 로칼 도시로 부상하기를 간절히 기대한다. 부산만의 남다른 콘텐츠는 한국문화와 경제를 이끄는 동력이 될 수도 있을 것이다. 〈택리지〉를 쓴 이중환은 "풍광이 뛰어난 지역은 물산이 풍부하지 못하다"고 했지만, 요즘은 부가가치가 높고 공해유발이 없는 관광산업으로 오히려 풍요를 누릴 수 있다.

지난해 연초부터 코로나19 창궐로 집안에 갇혀 있어야 하는 시간이 많아짐에 따라 나는 절망 속에서나마 새로운 출구를 찾기로 했다. 차제에 부산의 모습을 새롭게 조명해야겠다는 생각이 마음속의 빚처럼 나를 압박해오기 시작한 것은 팬데믹이 나에게 준 선물이었다. 빚을 지고 도망 다니며 숨어살던 사람이 모처럼 쌈짓돈이라도 마련하여 체면치레라도 하는 심정이었다.

그러면서도 집필에 망설였던 것은 "다른 사람도 말할 수 있는 것이라면 말하지 말고, 남도 쓸 수 있는 것이라면 글로 쓰지 마라"는 앙드레 지드의 말에 공감해왔기 때문이다.

무라카미 하루키도 유럽여행 에세이에서 "내가 아니면 쓸 수 없는 것을 쓰지 않으면 안 된다"고 다짐한바 있다.

그래서 누구나 쓸 수 있는 내용이 아니라, 부산의 토박이도 잘 알지 못하는 숨은 이야기들을 발굴해서 소개해야겠다고 작정하고 나름대로 노력했는데, 그래도 많은 아쉬움이 남는 건 사실이다. 가끔씩 "쓰지 않고 사는 사람은 얼마나 좋을까. 나는 때때로 엎드려 울었다"라고 괴로워하던 〈혼불〉의 작가 최명희가 떠오르기도 했다.

그동안 수없이 고쳐 쓴 원고를 아무 불평 없이 잘 다듬어준 이재욱 편집인과 원고내용을 꼼꼼히 팩트 체크해준 외우(畏友) 구대열 교수와 유자효 시인에게 감사드리며, 여행을 무척 좋아해서 내가 '역마'라는 별명까지 지어준 아내의 숨은 뒷바라지에도 고마움을 잊을 수가 없다. 그리고 내 인생의 든든한 울타리였던 부산 출신의 많은 벗들과 한평생 어울려 지냄으로써 이들이 전해준 부산에 대한 많은 이야기가 이 책의 자양분이 되었다.

아무쪼록 이 책이 부산을 사랑하고 부산을 즐겨 찾는 사람들에게 항상 동행하고 싶은 길동무가 되었으면 한다. 부산은 파란만장한 역사, 개성 있는 문화, 다양한 음식, 독특한 사투리에다 아름다운 경관까지 두루 갖추고 있어서 매년 2,790여 만 명의 관광객이 찾아오는 매력의 도시다.

부산의 겉모습은 하루도 쉬지 않고 변화발전하므로 나의 서술이 달라질 수도 있지만, 그동안 부산이 쌓아온 역사와 나라를 지켜온 힘은 시간에 마모되지 않고 끝까지 남아 있을 것이다. 그래서 이 책이 부산의 매력과 울림과 감성을 찾는 단초가 되었으면 한다.

여행은 사물의 소유가 아니라 아름다운 추억과 경험을 소유하는 것이다. 여행은 곧장 지름길로 달려가는 것이 아니라 우리 인생처럼 뒷골목 구석구석의 숨은 이야기가 켜켜이 쌓인 에움길을 찾아가는 것이다.

직장에서 은퇴 후 연금이 나올 때까지의 어려운 시기를 소득 크레바스 기간이라고 한다면 요즘 코로나 팬데믹에 따른 고난의 생활은 방역 크레바스 기간이다. 함께가 홀로로, 이동이 정지로, 접촉이 접속으로 바뀌어 우리의 상황이 어려워질수록 우리가 즐겨 찾던 마음

의 고향, 부산에 관한 흥미로운 스토리텔링이 조금이나마 위안이 될
수 있기를 바란다.

부산이 단순히 먹고 마시고 눈요기하며 즐기는 장소가 아니라, 험
난한 역사의 풍랑을 극복해온 민초들의 삶을 통해 21세기의 새로운
대항해시대를 뻗어나가는 등대이자 베이스캠프가 되었으면 한다. 부
산 여행이 옛 로마인들의 자랑처럼 미래의 영감까지 얻는 '위엄을 갖
춘 여가'가 될 수 있다면 더 이상 바랄 것이 없겠다.

2022년 3월
구룡산 자락에서 韓山 散人 김 동 현
(hansan462@naver.com)

차 례

부산시어(市魚)이자 국민생선으로 만든 고등어갈비
어묵 하면 부산
자갈치시장의 꼼장어구이와 양곱창구이
산성막걸리와 찰떡궁합인 동래파전
학교 이름까지 바꾼 대변항의 멸치회와 기장 미역
완당, 짭짤이 토마토, 조방낙지
세계의 주목을 받는 커피 향의 도시
가덕도의 대구와 일본식 명란젓

스마트시티 조성과 금융허브
2030 세계박람회를 위한 노력
가덕신공항과 세계화에 대한 열망
Dynamic Busan, MICE산업으로 글로벌화 시동
워라밸의 부산사람들이 걱정해야 할 일
가마솥 도시 부산사람들의 화끈한 유튜브 〈붓싼뉴스〉

천일의 피난수도 부산

개항도시인 부산은 다양한 근대문화유산을 갖고 있다. 국가 존망의 위기였던 6.25 때도 마찬가지였다. 한국전쟁 1,129일 중 1,023일 동안 두 차례의 피난 수도였던 부산은 우리나라가 어려움에 처했을 때마다 버팀목이 되어 기사회생의 산실 역할을 해온 구국의 도시이자, 해양문화와 대륙문화가 만나는 접점에서 일찌감치 외국문물을 받아들여 온 열린 도시다.

고려나 조선 시대 왕궁에서 고관대작들이 거들먹거리며 때로는 허튼소리로 국정을 논하는 동안, 국경의 최전방이자 바다의 관문인 부산은 왜구의 침략을 항상 맨 먼저 온몸으로 부대끼며 치열하게 버텨야 했다. 변방의 희생으로 연명해오다시피 한 우리 역사는 왕실의 기록만 햇볕에 드러나고 변방에서 온갖 고초를 겪으며 살아온 민초들의 삶은 그늘에 가려온 것이 안타깝기만 하다.

조선정부는 야수와 같은 왜구를 효율적으로 관리하기 위해 오늘날의 부산, 창원, 울산 등지에 3포를 열었다가 두 곳은 무너지고 부산만이 외롭게 뜨거운 가마솥이 되어 국경을 지켜야 했다. 1510년(중종 5년)에는 왜인 200여 명이 동래현 동평리의 민가를 약탈하자 관군이 출동하여 왜적 두 명의 목을 베기도 했다. 왜적을 방어하는 유일한 교두보 동래 지역에는 조선 중기 이후 과거시험 합격자 중 무과 출신이 60여 명인 데 비해 문과는 한 명도 배출하지 않을 정도로 절박한 군사도시였다. 수령도 무인 출신들이 대거 내려왔다.

귀환선에서 내리는 동포[역]

동래에 인접해 있기는 하지만 국경의 한적한 어항에 불과했던 부산이 크게 도약할 수 있었던 결정적인 계기는 개항과 한국전쟁이었다. 조선이 일본에 의해 강제로 문이 열리면서 일본을 마주보고 있는 부산은 우리나라의 새로운 관문이 되었다. 일본은 부산을 대륙침략의 발판으로 삼고 개항하자마자 식민도시화를 추진했다. 조선을 지배하는 주인이 중국에서 일본으로 바뀜으로써 부산이 인천을 제치고 급부상하기 시작한 것이다.

개항과 함께 조선은 일본 자본가들의 '기회의 땅'이었으며, 일본과 마주 보고 있는 부산은 경제 수탈과 횡포가 가장 심한 곳이 되고 말았다. 광복과 함께 일본인들이 썰물처럼 빠져나갔지만 대신 일본에서 돌아온 150만의 귀환 동포 중 20여 만 명이 부산에 자리를 잡기 시작했다. 1937년 일제가 조사 발표한 부산의 인구는 213,142명이며, 일제는 1965년쯤 40만 명에 이를 것에 대비하여 주택이나 도로, 상하수도 시설을 정비하는 식민지 도시계획을 수립했다.

해방이 되자 부산은 해외에서 돌아오는 동포들과 일본으로 가려는 일본인들이 뒤섞여 한동안 아수라장이었다. 귀국선을 타고 돌아오는 귀환 동포들을 만나는 가족들의 감동과 새로운 희망을 지켜본 손로원이 부산에서 만든 노래가 백설희의 〈귀국선〉이다.

6.25전쟁과 부산의 격동

당시 인구 33만 명 정도의 부산에 엄청난 동포들이 몰려들어 혼란

피난민 움막과 천막[역]

당감동 아바이마을 현재 모습[원]

이 채 가시기도 전에 6.25 전란으로 인해 50여 만 명의 피난민들이
한꺼번에 밀려들자 부산은 아비규환의 북새통이었다.

6.25 직후 남한의 1차 피난민은 그런 대로 수용했지만 1.4후퇴에
따른 북한의 2차 피난민은 군인, 경찰, 공무원 등 신분이 확인된 가
족만 부산에 들어오고 대부분 거제나 제주 등지로 밀려났다. 각종 신
분증이나 증명서가 없이 부산의 거리로 나섰다가는 외지로 강제 이송
되는 일이 다반사였다.

임시수도 부산은 적기의 소 검역소와 영도의 대한도기, 영도 해안
가, 청학동, 대연고개, 남부민동, 괴정 등 40여 곳에 피난민 수용소
를 마련했으나 수용인원은 채 7만도 되지 않았다. 그나마 피난민 마
을로 그런 대로 자리를 잡은 곳은 당감동 아바이마을과 아미동 비석
마을, 우암동 소 막사 등이다. 서울이 수복되어도 돌아갈 곳이 없는
피난민들의 악전고투가 오늘의 부산을 일궈낸 뿌리이다.

소설가 김동리는 당시 부산의 모습을 단편소설 〈밀다원 시대〉에서
"끝의 끝, 막다른 끝, 거기서는 한 걸음도 떠나갈 수 없는, 한 걸음만

더 내디디면 바다에 빠지거나 허무의 공간으로 떨어지고 마는 그러한 최후의 점 같은 곳"이라고 묘사하고 있다.

당시 절망과 소외된 공간인 부산의 고된 피난 생활을 묘사한 소설로는 이호철의 〈탈향〉, 손창섭의 〈비 오는 날〉, 황순원의 〈곡예사〉, 안수길의 〈제3의 인생〉 등이 있다.

동족상잔의 한국전쟁은 브래들리 미국 합참의장의 맥아더청문회 증언처럼 "잘못된 곳에서, 잘못된 시기에, 잘못된 적을 만난, 잘못된 전쟁"이다. 전란 3년 동안 300만 명이 희생되었으며, 그 중의 280만 명이 한국인이었다. 북한 인구의 18%와 남한 인구의 9.5%가 사망한 것이다. 남한에서만 30만 명의 젊은 여성이 청상과부가 되었으며, 전쟁고아도 10만 명이 넘었다.

6.25는 승자는 없고 패자만 있는 전쟁이었다. 그리스 역사학자 헤로도토스가 "전쟁 때에는 아버지가 아들을 땅에 묻어야 한다."고 했지만, 아들의 시체를 찾을 길조차 없는 경우가 허다했다. 한국전쟁은 일어나지 말아야 할 참혹한 재앙이었지만, 결과적으로는 최빈국이었던 대한민국이 최강대국 미국과 직접 교류함으로써 급속히 발전할 수 있는 행운을 가져왔다.

한국 사진계의 선구자인 부산 출신 사진작가 임응식 씨는 이 무렵 임시수도 부산의 참담한 모습을 적나라하게 보여주고 있다. 원래 향토색 짙은 서정적 분위기의 작품에 매달렸던 임응식 씨는 한국전쟁을 계기로 현실의 고단한 모습을 담아내는 생활주의 리얼리즘 작가로 변신했다. '求職(구직)'이라고 쓴 종이 광고를 가슴에 걸고 벽에 기대어 비스듬히 서 있는 사나이의 모습은 전후 시대상을 잘 묘사한 걸작으로 꼽히며, 지난 IMF 외환위기 때에 자주 인용되기도 했다.

1953년 통계에 따르면, 한국의 1인당 국민소득은 필리핀의 3분의 1 수준인 67달러로 세계 최빈국이었다. 한국전쟁 당시 외국 구호단체나 정부에서 굶주리는 일부 피난민들에게 식사 배급을 하면서 솥뚜껑을 열기 5분 전 "배식 시작!"을 외치면 운집한 사람들이 앞다투어 밀려드는 바람에 아수라장이 되곤 했는데, 여기서 나온 말이 '개판 5분 전'이라고 한다.

임응식 〈구직〉(인터넷 자료)

그런가 하면 몰래 물건을 슬쩍슬쩍 훔치는 좀도둑을 '얌생이(염소의 사투리)'라고 하는 말도 이 무렵 생긴 것이다. 미국의 원조물자가 쌓여 있는 부산 미군부대에 도둑이 잦아 경비가 철저했는데, 어느 날 염소 한 마리가 철조망을 뚫고 들어와 주인을 들여보냈더니 염소 추적을 핑계로 물건을 훔쳐 나왔으며 그 후로 반복하다가 구속되었다. 이런 절도행위를 '얌생이 몬다'라고 했는데, 이제는 이 말이 어엿이 표준어로 올라 있다.

허기를 견디지 못한 피난민들은 방앗간의 등겨를 담아와서 주린 배를 채웠으며, 술 찌꺼기로 요기를 한 꼬마들이 술에 취해 비틀거리는 모습은 흔한 풍경이었다. 온 식구가 단칸방에 쫄쫄 굶고 있는데 한밤중에 도둑이 들자 얼씨구나 하며 오히려 도둑을 털었던 일도 있었다. 1950년대 중반 우리나라 범죄자의 20%가 소년범이었던 것도 전쟁고아와 무관하지 않다.

대한민국의 막다른 둥지 임시수도

1950년 6월 25일 새벽 북한군의 침략이 시작되자 이틀 후인 27일 우리 정부는 수도를 대전으로 옮겼으며, 7월 16일에는 대구로, 마침내 8월 16일 정부 기관들이 모두 부산으로 이전했다.

부산은 대한민국의 막다른 둥지였다. 중앙청이 서구 부민동의 경남도청에 먼저 자리를 잡았다. 1925년 도청이 진주에서 부산으로 옮기면서 신축한 경남도청은 1983년 창원으로 도청이 다시 옮겨감으로써 법원과 검찰청으로 사용되다가 법원종합청사가 거제동으로 이전하면서 동아대학교가 인수하여 석당박물관으로 거듭났다.

부산의 근대건축물 중 가장 규모가 큰 이 박물관 건물은 등록문화재 제41호로 지정되었다.

한편 대통령 집무실인 경무대는 부민동의 경남도지사 관사로 옮겼는데, 현재는 이곳에 임시수도기념관이 들어서 있다.

1926년에 완공된 붉은 벽돌의 2층 집은 이승만 대통령이 전란에 따른 중요한 정치와 외교 현안을 논의한 산실이기에 국가지정문화재 사적(史蹟)으로 지정되었다.

건물 정면에는 오랑캐에게 빼앗긴 땅을 회복하자는 의지를 담은 '사빈당(思邠堂)'이라는 현판이 걸려 있다. 중국에서 항일군가를 작곡하고 가극도 연출한 음악인 독립운동가 한형석 선생의 글씨다. 임시

임시수도기념관[VB]

수도 시절의 갖가지 생활모습이 조형물로 전시된 기념관에서는 방
학을 맞아 학생들에게 피난 시절의 천막 교실 체험학습 프로그램을
운영하고 있다.

사회부와 심계원, 문교부는 부산시청에 자리를 잡았고 상공부가 들
어가 있던 토성동의 남선전기 경남지부는 오늘날 한전 중부산지사
로 바뀌었다. 남선전기 사옥으로 통했던 이 상공부 청사는 4층 철근

사빈당(임시수도기념관)[원]

남선전기(한국전력공사)[원]

콘크리트의 화강석 외벽에다 내부 계단은 인조대리석으로 꾸민 단아한 르네상스식 건물이다. 일제 강점기의 근대건축물 중에서 원형이 잘 보존되어 있어 등록문화재 제329호로 지정되어 있다. 교통부는 조금 떨어진 부산진구 범천동의 범내골 교차로 근처에 청사를 얻어 자리를 잡았기에 지금도 이곳을 교통부라고 부른다.

국회는 부산극장을 의사당으로 사용하다가 경남도청 체육관인 상무관으로 옮겼으며, 국회의원 사무실은 일제 강점기인 1944년 6월 남포동에 건립된 부산 최초의 3층짜리 아파트인 소화장(昭和莊)을

1952년 부산에서 치러진 대통령(2대) 취임식 및 광복절 기념식[역]

이용했다. 소화장은 인근의 청풍장과 함께 일본인 주거시설이었으며 80년이 지난 오늘날까지 재건축을 하지 않고 그대로 사용할 정도로 튼튼하게 지은 건물이다.

중앙의 사법기관은 부산지방법원에, 검찰은 부산지방검찰청에 더부살이를 했다. 미(美)대사관이 부산 미국문화원으로 이전하는 것을 비롯하여 각국 외교관도 부산으로 옮겼다. 정부는 9.28수복을 맞아 잠시 서울로 환도했으나 1951년 1.4 후퇴 때 다시 부산으로 내려와 1953년 7월 27일 휴전협정 때까지 부산에 신세를 졌다.

부산 없으면 대한민국 없다

　1592년 임진년에 벌어진 16번의 해전 중 7번이 부산서 일어났는데, 그 중 그 해 가을 전라좌수사 이순신이 전라우수사 이억기, 경상우수사 원균과 함께 몰운대에서 적선 24척, 자성대 앞에서 130여 척의 왜선을 궤멸시킨 부산포해전은 임진왜란 4대첩 중의 하나로서 일본의 해상기동력을 크게 약화시키는 계기가 되었다.

　한산도 대첩에서 학이 날개를 편 모양의 학익진이 있다면 부산포해전은 긴 뱀 모양의 장사진(長蛇陣)이 있다. 부산은 해역이 좁고 길게 늘어져 있어서 일렬로 진을 짜서 전투하는 것이 효율적이었기 때문이다. 부산은 우리나라 어느 지역보다 임진왜란의 아픈 흔적과 왜성을 비롯한 각종 기념물이 가장 많이 남아 있는 편이다.

　임진왜란 때 해전의 대미를 장식하면서 바닷길을 장악한 부산대첩의 승전일인 10월 5일을 부산시는 1980년부터 '부산시민의 날'로 제정, 각종 기념행사를 벌이고 있다. 바닷길을 막아 호남 곡창을 보호했던 이순신이 "호남이 없으면 조선이 없다."고 사헌부에 보고했듯이 "부산이 없으면 대한민국이 없다."고 할 만하다.

　2018년 6월 부산시립미술관의 국제서예전에 초대받은 우리나라

대표 서예가 하석 박원규 선생님이 자신은 호남 출신이라 부산을 잘 모른다면서 나에게 부산을 상징하는 한 마디를 요청하기에 '호남이 국가의 보장(保障)'이라는 충무공의 사헌부 편지를 떠올렸더니 실제로 '若無釜山 是無大韓民國(부산이 없으면 대한민국이 없다)'라는 한간체(漢簡體) 작품 하나로 전체 벽면을 장식하여 관람자들의 주목을 받았다. 말 그대로 부산은 대한민국의 최전선에서 외세의 거친 파도를 막아내 온 방파제 역할을 해온 것이 사실이다.

재난 유토피아로 활기

항도 부산은 광복 이후에는 수많은 귀환 동포와 피난민들을 껴안고 돌보았으며, 1960년대 무역(貿易) 입국의 경제개발시대에는 우리나라 수출입 화물의 85%를 처리하는 수출 전진기지로서 제 역할을 톡톡히 했다.

개항과 전쟁, 산업화시대를 거치면서 한적한 어촌이 국제도시로 자라온 부산의 역사는 그대로 한국 근대사의 흐름과 맞물려 있다.

한국 근대사의 격랑을 그대로 겪은 부산은 우리나라에서 가장 역동적이고 활기찬 도시다. 피난민들의 억척스러운 삶이 오히려 활력을 일으키는 이른바 '재난 유토피아' 현상 때문인지 모른다.

해양문화와 대륙문화가 교류하는 부산은 외부문물에 관대하고, 이를 포용하는 품이 장대하며 문화적 너비마저 광활하다. 따라서 부산에는 조선 시대 이래로 유난히 우리나라 1호가 많다.

우리나라 1호가 유난히 많은 부산

통신사 조엄과 고구마

우리나라 고구마 시배지(始培地)는 부산이다. 1763년 11대 조선통신사 조엄이 대마도에서 접대 받은 고구마를 특별히 부탁하여 얻어 온 다음 기후가 비슷한 영도 봉래산 기슭에 시험 재배했다.

이를 '조내기 고구마'라고 하는데 '조내기'는 '작다'라는 뜻의 '쪽내기'에서 유래한 말이다.

육로와 수로를 합해 왕복 4,600km의 거리를 10개월 동안 다녀와야 하는 통신사 행차는 멀고 위험했기 때문에 서명응, 정산순 같은 사람은 통신사 대신 차라리 유배길을 선택하기도 했지만, 동래부사와 경상감사를 역임한 조엄은 스스로 자원하여 위험한 바닷길을 나섰던 사람이다.

북경사절은 육로라서 안전한 데다 선진국이어서 선호도가 높은 데 반해 일본은 절반이 뱃길인 데다 야만국이라는 통념 때문에 기피(忌避)하는 곳이었다. 정사 조엄이 창덕궁에서 영조에게 하직 인사를 했을 때 왕은 "북경을 다녀오는 것과 달라서 애처롭기 그지없다."고 위로하면서 호랑이 가죽과 부채 등을 하사했다. 조선통신사 일행에게는 특별히 '전별연(餞別宴)'을 열어 위로해주는 게 관행이었다.

조선통신사 행렬[VB]

 그동안 수십 차례 일본을 오가면서 고구마 접대를 받았지만 굶주리는 백성을 위해 종자를 가져올 생각을 하지 못했던 다른 관리들과는 달리 조엄은 고구마를 들여와 재배할 생각을 했던 것이다. 조엄은 통신사 기행문인 〈해사일기(海槎日記)〉에서 "고구마는 굽거나 삶아서 먹을 뿐만 아니라, 생으로도 먹을 수 있어서 흉년 때 밑천으로 좋을 듯하다."라고 기록하면서 고구마의 보관법과 재배법까지 자세히 소개하고 있다.
 고구마라는 이름도 대마도 방언인 '고코이모(孝行藷)'에서 나온 말이다. 일본에서는 고구마를 사쓰마이모라고 하는데, 식량이 없던 대마도에서 병약한 부모를 고구마로 봉양했던 이야기에서 유래한 말이다. 제주도에서는 조씨가 가져온 감자라고 해서 '조저(趙藷)'라고도 한다. 20세기 초까지 고구마는 '단맛 나는 마'라고 하여 감저 혹

통신사 화가가 그린 부산[역]

은 감자라고 했다.

조엄은 동래부사 시절 항상 백성 편에서 과도한 세금과 과잉행정의 관행을 시정하는 데 앞장섰다. 스님들의 잡역을 면제시켜준 공로로 범어사 입구에는 그의 공덕비가 있고 영도 청학동 시배지에는 '조내기 고구마 역사공원'이 조성되어 있다.

조엄은 정조 때 훈련대장 홍국영의 무고로 유배지 김해에서 별세했으며, 그의 고향인 원주시 지정면 오크밸리 입구에 그의 묘소와 '조엄기념관'이 있다. 원주시는 '조엄 밤고구마'를 지역특산품 브랜드로 정하여 생산·판매하고 있다.

죽음을 담보로 왕명을 받아 떠나는 통신사 일행은 바닷길에 적응하기도 하고 왜관을 통해 일본문화를 익히기 위해 미리 부산에 와서 40여 일 동안 머물렀다. 정사와 부사, 종사관 등 통신사 일행이 타는 기선(騎船) 3척은 통영에서 제작하고 짐을 싣는 작은 규모의 복선(卜船) 3척은 경상도 좌수영에서 제공했다. 기선은 길이가 34m, 폭이

13m로 뱃머리에는 안전항해를 기원하는 귀신을, 선실에는 매화, 소나무, 모란 등을 그려 위용과 멋을 부렸다.

출항일은 예조에서 택일해 주지만, 출발지인 부산 날씨에 따라 변경되기도 한다. 출항지인 영가대에서 해신제를 지내며 무사 항해를 기원하고 출발 사흘 전부터 목욕재계하고 음주가무를 멀리한다. 500명 가까운 사행단이 부산을 떠나는 날에는 뱃머리에 가족들이 몰려와 선단이 아스라하게 사라질 때까지 통곡하면서 배웅하는 곡송(哭送)이 이어졌다.

한일 평화구축과 문화교류의 소중한 행사였던 조선통신사 기록물 111건 333점이 2017년 10월 유네스코세계문화유산으로 등재되었으며 매년 광복동과 남포동, 용두산 일대에서 조선통신사 행렬을 재현하는 행사가 열리고 있다.

민속주 1호, 금정산성 막걸리

동래의 금정산성 막걸리는 우리나라 민속주 1호이자 막걸리로는 유일하게 향토 민속주로 지정된 술이다. 500년 전부터 금정산 기슭의 화전민들이 발로 직접 밟아 띄운 누룩을 빚어 팔았는데 일제 강점기에는 일본과 만주까지 수출할 정도로 산성 누룩은 명품이었다. 서양의 수도사들이 와인을 개발했듯이 범어사 승려들도 누룩 빚는 비법을 개발하여 민가에 전수했으며, 일제 강점기에도 스님들이 부업으로 누룩을 제조했다. 금정산성마을에는 누룩을 팔러 다니던 할머니들이 새벽마다 오르내렸던 누룩고개가 있다.

요즘 일반 막걸리는 고두밥에 누룩 균의 가루를 뿌려서 속성으로 발효시키는 일본식 제조법인 데 비해, 금정산성 막걸리는 고두밥과

금정산[VB]

누룩을 골고루 버무려서 발효시키는 전통방식을 지켜오고 있기에
누룩 특유의 향이 나면서 깊고 묵직한 맛이 있다. 금정산성 막걸리는
숙종 29년(1703년)에 완성된 우리나라의 가장 긴 산성인 금정산성
축성 때 인부들에게 새참으로 제공하면서 유명해진 술이다.

  국제신보 편집국장 출신이자 애주가였던 소설가 이병주는 "막걸리
는 가난한 나라의 가난한 백성이 마시는 술이다. 왜냐하면 취감(醉
感)과 만복감(滿腹感)을 주기 때문이다."라면서 마실 것과 먹을 것을
동시에 주는
막걸리를 예
찬했다. 훈민
정음 해례본을
집필한 정인지
는 "노인들에
게 막걸리는
어린애들의 엄
마 젖과 같아
서 색깔도 비

금정산성 막걸리 누룩 발효[VB]

금정산성[역]

숫하다."면서 막걸리를 즐겨 마셨다.

조선 후기 김천택이 엮은 시조집 〈청구영언〉에 '막걸리는 마구 거른 술'이라고 밝히고 있다. 햇볕을 받아들이지 못하는 장마철이 되면 행복감을 유도하는 호르몬 세로토닌 분비가 줄어 우울증이 올 수 있는데, 이때 당분과 탄수화물, 알코올을 모두 갖춘 막걸리가 기분 전환에 제격이라고 한다.

4.19 혁명 당시 부산에 신설된 군수기지사령부 초대 사령관이었던 박정희 장군은 산성 막걸리를 즐겨 마셨는데, 대통령이 된 후 부산을 순방하던 길에 산성 막걸리를 찾았으나 밀주(密酒)로 겨우 명맥을 유지하고 있다는 소식을 듣고 민속주로 양성화시킨 역사도 있다.

현재는 금정마을 주민들이 1980년 설립한 유한회사 '금정산성토산주'에서 금정산성 막걸리를 생산, 공급하고 있다. 금정산 중턱의 산성마을에 사는 강릉유씨 집안이 대대로 산성 막걸리 전통 맛의 비법을 이어오고 있다. 오래전부터 금정산성 막걸리에는 숯불 흑염소 불고기나 동래파전이 안성맞춤으로 짝을 이루고 있다.

우리나라 최초의 후쿠다 양조장

우리나라 최초의 양조장인 후쿠다 양조장도 1887년 부산의 후쿠다마치(현재 대청동 가톨릭센터 자리)에 설립되었다. 대마도 출신의

개항 이후 대청동 거리[역]

무역상인 후쿠다 소베(福田增兵衛)는 자신의 선박 긴피라마루(金比羅丸)로 청일전쟁 군수품을 수송할 만큼 명치유신(明治維新)의 주역인 죠슈 지방 실세들과 가까웠기에 부산에서도 위세가 당당했다. 언론매체인 부산시보 사장이기도 했던 후쿠다는 1916년 6월 자신의

별장식 여관 향양원(向陽園)에서 일본화가 야마모토 마이카이(山本梅涯)의 작품 전시회를 열기도 했다.

후쿠다 양조장은 타이죠오(大廳), 코요(向陽), 후쿠이즈미(富久泉) 등 유명 청주를 생산했는데, 코요는 향양원에서 묵은 바 있는 죠슈 출신 초대 총감 이토 히로부미(伊藤博文)가 직접 작명해준 브랜드이다. 대청동이라는 지명도 이곳에서 생산된 술 이름과 무관하지 않다.

부산에는 거친 바다와 싸우는 뱃사람이 많아서인지 술 소비량도 다른 지역에 비해 월등한 편이다. 부산 사투리로 술고래를 '초빼이'라고 한다. 술을 하도 많이 마셔서 몸이 식초를 담은 병과 같다는 뜻의 '초병(醋瓶)'에서 나온 말이다.

목욕탕과 은행도 부산에서 시작

공중목욕탕도 부산에서 시작했다. 부산은 전국서 온천이 가장 많은

동래온천[역]

곳이며, 온천장이 특정 지역을 나타내는 고유명사가 될 정도다. 부산의 가장 오래된 관광지는 동래온천이다.

신라 31대 신문왕 때 재상 김대성이 동래 온정(溫井)에서 목욕했다는 기록이 『삼국유사』에 나오며, 『동국여지승람』에는 "동래온천은 달걀이 익을 정도로 뜨거우며 병자가 목욕하면 치유되므로 신라 때 여러 왕이 행차했다."고 밝히고 있다.

조선일보가 발행한 잡지 《조광》의 1939년 12월호에 노자영 시인이 기고한 〈온천장 순례기〉에는 "동래온천은 거리가 깨끗하고 집들이 좋고 설비가 완전하다는 점에서 매력적이지만, 풍경이 좋고 아름답다는 점에서도 손을 꼽지 않을 수 없다."면서 금정산이 지아비라면 동래온천은 지어미라고 단정했다.

일본의 사무라이들은 싸움터에서 상처를 입었을 때 온천욕으로 치유하는 이른바 '탕치(湯治)' 전통이 있었기에 일본인들은 온천장을 즐겨 찾았다. 왜인들이 서울에 왔다가 되돌아가는 길에는 동래 온정(溫井)에서 목욕하도록 했다는 기록이 『세종실록』에도 나온다.

동래온천은 신경통 치료 효험의 전설이 내려오고 있다. 신경통으로 걷지 못하는 한 노파가 다리를 절뚝거리는 한 마리 학과 가까이 지냈는데, 어느 날 학이 완쾌되어 돌아다니는 것을 이상히 여겨서 현장에 가보니 학이 온천수에 발을 담그고 있었다. 자신도 며칠간 온천수로 치료를 하여 다시 걷게 되었다는 일화다.

부산의 개항 이후 일본인 자본가들의 별장이 동래 온천지역에 들어서기 시작했다. 1907년 토요타 후쿠타로(豊田福太郎)가 설립한 숙박 휴양시설 봉래관을 비롯하여 1912년 오이케 츄스케(大池忠助)의 대지여관, 1916년 나루토(鳴戶)의 명호여관 등이 속속 들어섰다.

원래 봉래관은 동래부가 중앙관리나 일본 사신을 영접하던 숙박

동래현에서 운영한 공중목욕탕[역]

시설 이름이다. 봉래관은 교통비, 숙박비, 목욕비를 합친 패키지 상품을 출시했으며 온천장 앞 호수에서 뱃놀이하는 모습의 사진 엽서도 발행했다. 봉래관의 3개 욕조 중 하나는 일본육군의 전지휴양소로 이용되었다.

일본인 소유의 봉래관이 그 후 동래관광호텔, 농심호텔로 바뀌었으며, 공중탕은 "마음까지 깨끗하게 비운다."는 허심청(虛心廳)으로 거듭났다. 3천 명을 동시에 수용할 수 있는 동양 최대의 이 공중목욕탕 허심청은 하루 고객 8,787명 입장 기록도 가지고 있다.

오사카 출신의 기업인 하자마 후사타로(迫間房太郎)는 큰 바위를 통째로 파서 욕조를 만들 정도로 초호화시설의 개인별장을 1912년 동래에 지었다. 일본의 왕족이 이곳에 단골로 머물렀으며, 광복 후에는 미군의 휴양시설로, 임시수도 시절에는 부통령 관저로 활용되었고, 한때 부산의 최고급 요정이 되기도 했다.

Horsinsee Torai hot spring

景全館萊蓬・泉温萊蓬

봉래관[역]

부산_허심청(씨티맵 제공)

하자마 후사타로의 동래별장 본관은 수정동의 정란각, 부민동의 임시수도 기념관과 함께 부산의 대표적인 일본식 주택이다.

부산에서 담배 장사로 많은 돈을 벌었던 히가시바라 가지로(東原嘉次郎)는 금정산 자락에 일본식 연못을 만들고 불상, 석탑 등 우리의 귀중한 문화재로 꾸민 개인 정원을 조성했다. 정원이 워낙 크고 아름다워 금강산에 버금간다고 하여 '금강공원'이라는 이름으로 1931년 일반에 공개했다. 동래온천에서 온천을 즐긴 후 금정산까지 둘러보는 유람코스로 일본인들에게 인기가 많았다.

해방 후에는 모처럼 가정에서 해방된 아낙네들이 술에 취해 옷이 벗겨지는 줄도 모르고 논다고 하여 "금강공원에 치마 주우러 가자."는 말이 나돌 정도로 대중들의 인기 유원지가 되었다. 1967년 국내 최초로 개통된 케이블카를 타고 해발 540m의 정상에 오르면 해운대와 영도가 저 아래 보인다.

조선 시대 지체 높은 관료들이 주거하던 행정중심지 동래가 일제 식민지 시대부터 온천장을 중심으로 술과 도박, 기생과 가무가 넘쳐나는 교외 유흥지로 전락하고 말았다. 동래의 밤거리는 기생의 장구 소리와 게이샤의 샤미센 소리가 넘쳐났다. 치료와 휴양지에서 레저와 유흥지로 변해 버린 것이다.

은행이 가장 먼저 들어온 곳도 부산이다. 일본 자본주의 아버지라고 하는 시부사와 에이이치(涉澤榮一)가 1876년에 세운 일본제일은행 부산지점이 개항 2년 뒤인 1878년 6월 부산 동광동에 상륙했다. 제일은행은 1896년 조선은행이 등장할 때까지 우리나라 최초의 국립은행으로 화폐 발행 기능까지 갖춘 중앙은행 역할을 했다.

우리나라 지방은행의 효시도 구포 출신의 대지주 윤상은과 객주

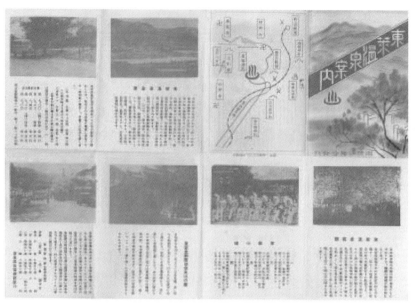
일제 때 동래온천 안내도[역]

거상인 장우석 등이 1912년 6월에 설립한 구포은행이다. 이들은 4년 전인 1908년 구포저축회사를 출범시킨 바 있었다.

경부선 철도가 개통되고 부산이 비약적으로 발전하자 구포은행은 3년 뒤 본점을 부산으로 옮기고 이름도 경남은행으로 바꾸었다. 그후 대구은행과 합병하여 경남합동은행이 되었다가 일본의 조선 민족계 은행 말살 정책에 따라 조선상업은행으로 변신했으며, 한국상업은행, 한빛은행 등 우여곡절을 겪고 나서 이제는 우리은행 구포지점으로 자리를 잡았다.

"경상도 돈은 구포에 다 모인다."는 말이 나올 정도로 구포는 경상도의 물류집산지이자 상공업도시였다. 조선 시대 구포장(場)은 전국 5대 5일장 중 하나였다. 구포장이 3일과 8일, 부산장이 4일과 9일,

조선은행 부산지점[원]

동래장이 2일과 7일에 각각 열렸다.

서양 의료기관 제생의원과 종두법의 지석영

근대식 서양 의료기관인 병원도 부산에서 시작했다. 세브란스병원의 전신인 광혜원보다 8년 앞선 1877년 2월 일본 해군 군의관 야노 요우데쓰(矢野義澈)를 원장으로 하는 제생의원(濟生醫院)이 혼마치 2정목(지금의 중구 동광동 부산호텔 주차장 자리)에서 문을 열었다. 개항과 함께 건너온 일본인을 위한 병원이었으나 조선인 환자도 받았다. 개원 첫해 치료받은 환자는 일본인이 2,998명이고 조선인도 729명으로 나와 있다.

조선인의 키가 일본인보다 큰 것에 콤플렉스를 느낀 군의관은 본국에 보낸 보고서에서 "조선은 위생환경이 열악해서 병약한 아이는 어렸을 때 죽어버리며, 살아남은 사람들은 육식을 좋아하고 머리를 많이 쓰지 않기 때문에 육체가 강건하다."는 기록을 남기고 있다. 당시 조선인의 평균수명은 40세 미만이었다.

한의사였던 지석영은 1879년 가을, 서울에서 20일 동안 걸어서 부산 제생의원을 찾아가 마쓰마에 유쥬르(松前讓) 병원장으로부터 석 달 동안 종두법을 배웠다. 역병 중에서도 가장 무서운 천연두는 겨우 목숨을 건져도 얼굴에 자국이 남기 때문에 호랑이보다 무섭다고 하여 '호환마마'로 통했다.

1897년 6월 부산지역에 콜레라가 창궐하자 제생의원은 매월 15일 시민들에게 예방접종을 무료로 시술해주고 일본 무역선의 부산항 입항도 중지하도록 본국에 요청했다. 총독부는 조선에 베푼 개화 선물 1호로 종두법을 내세우며 대대적인 홍보를 하기도 했다.

지석영은 천연두 치료법을 아무도 믿지 않아 처남에게 처음으로 우두(牛痘)를 맞혀 실험에 성공하자 "과거 급제나 유배형 해제보다 더 기뻤다."고 술회했다(1931.1.25 매일신보). 당시 고종은 '우두 기술을 가르쳐준다며 도당을 모았다.'는 이유로 지석영을 신지도로 귀양 보내는 유배형을 내린 바 있었기 때문이다.

서울의과대학 전신인 관립의학교 초대 교장을 지낸 지석영은 을사늑약에 항거하여 자결한 민영환의 추도식 연설을 한 지 3년 후인 1909년 12월 12일, 이번에는 안중근에게 살해된 이토 히로부미의 추도사를 낭독한 행위로 인해 '과학기술인 15명 명예전당' 헌정과 '부산을 빛낸 인물'에서 제외되었다. 2002년 부산의 NGO 단체인 '극일운동시민연합'이 제기한 친일행적 주장이 받아들여진 것이다.

제생의원(인터넷 블로그, 한국향토문화전자대전)

한글학자이기도 한 지석영은 부산에서 종두법을 배우는 도중에도 일본인 거류민용 조선어 교본 『인어대방(隣語大方)』을 편찬하면서 얻은 지식을 바탕으로 대한제국의 공식 한글 정책인 '신정국문'을 제정했다. 그는 고종에게 지식재산권을 '전매'라는 용어로 쓰자고 상소했으나 조정은 일본이 만든 '특허'를 채택했다. '특별히 허가한다.'는 뜻의 특허는 매우 권위적인 용어이다.

총독부의 관립병원으로 출범했던 제생의원은 1881년 부산 거주 일본거류민단으로 운영권이 넘어감으로써 부산일본공립병원으로 이름이 바뀌었으며 병원장은 일본제국대학 출신만 초빙할 정도로 품격을 유지했다. 대마도에 사는 일본인들도 본토 대신 부산을 찾을 정도로 병원의 명성이 널리 알려졌다.

그 후 부산부립병원, 시립병원으로 이름이 바뀌면서 병원의 위치도 지금의 로얄호텔 자리로 옮겼다가 1936년 아미동으로 확장 이전함으로써 오늘날 부산대학병원의 전신이 되었다.

영화산업의 메카 부산, 영화 관련 1호 기록들

　오늘날 부산국제영화제가 '아시아의 깐느'라는 평가를 받으면서 세계 5대 영화제로 부상하게 된 것은 우연이 아니다. 1895년 12월 28일 프랑스에서 탄생한 영화가 일본을 거쳐 맨 처음 부산에서 상영됨으로써 한반도에 상륙했다.

　개항과 함께 초량왜관이 일본 전관거류지로 바뀌고 6천여 명이 거주하던 일본인촌 광복동에 우리나라 최초의 극장 행좌(幸座)가 1903년 들어섰고, 이어서 송정좌, 이듬해 부산좌가 개관되었다. 초기에는 극장에서 영화 상영과 일본전통극 가부키(歌舞伎) 공연을 번갈아 했다. 좌(座)는 다다미 바닥에 앉아 관람하는 장소를 말한다. 영화는 원래의 이름인 '모션 픽쳐(motion picture)'를 번역한 '활동사진'이라는 이름으로 들어왔다.

　영화 〈기생충〉으로 2020년 아카데미 4관왕이 된 봉준호 감독이 "한국 영화 100년의 축복"이라고 수상소감을 밝힌 것은 1919년 10월 27일 단성사서 상연된 〈의리적 구토(義理的 仇討)〉가 한국인들이 만든 최초의 영화이기 때문이다.

　계모의 학대를 받은 주인공이 정의로운 복수를 한다는 내용의 이 작품은 연극이 주종이고 무대에서 표현할 수 없는 야외장면을 10분 정도 영화로 보완한 연쇄극(키노드라마)이므로 진정한 영화라고 할

일제강점기 변천정(남포동) 시가지[원]

수 없다. 어쩌면 일본 작품이기는 해도 영화를 제일 먼저 상영한 곳이 부산이고, 국내에서 영화를 제일 먼저 관람한 사람도 아마 부산사람들일 것이다.

동경유학생 출신인 이경손, 김정원 등이 1924년 7월 일본인 기업인들의 출자를 받아 설립한 최초의 영화사 조선키네마주식회사가 출범한 곳도 부산 대청동이다. 일본인 다카사 간조(高佐貫長)가 왕필열이라는 한국명으로 감독을 맡고 이경손이 조감독으로 제작한 첫 작품 〈해(海)의 비곡(悲曲)〉에서 단역인 가마꾼으로 나온 배우지망생 나운규가 나중에 조선 영화계의 대부가 되었다.

〈해의 비곡〉은 우연히 만난 두 남녀가 사랑에 빠졌으나 이복(異腹) 남매라는 사실이 밝혀져 바다에 함께 투신하는 것이 영화의 줄거리이다. 촬영은 대부분 부산에서 이뤄졌고 제주도에 원정 로케이션을 하기도 했다. 영화의 주연을 맡은 초량 출신의 이주경은 부산 야구팀의 대표 투수를 거쳐 경남은행에 재직 중이었던 다재다능한 청년이

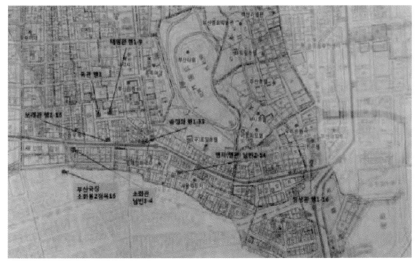

일제 때 중구 일대 영화관[원]

었다. 이 영화는 1924년 11월 12일 서울 단성사에서 개봉되었다.

우리나라 영화제가 최초로 출범한 곳도 부산이다. 1962년 문화부가 주관한 대종영화상이나 1963년 조선일보의 청룡영화상, 1965년 한국일보의 한국연극영화예술상이 태동하지도 않았을 때인 1958년 3월 27일 부산 국제극장에서 부산일보 주최의 제1회 부일영화상 시상식이 거행된 것이다.

이날 부일영화상 작품상은 영화 〈잃어버린 청춘〉이, 감독상은 유현목, 남녀주연상은 〈시집가는 날〉의 김승호와 〈실락원의 별〉의 주증녀가 각각 받았다. 부산이 영화제의 발상지가 된 것은 영문학자이자 부산영화평론가협회를 창립한 장갑상 교수의 열정과 헌신적인 노력으로 맺은 열매다.

피난 정부 시절 국민홍보영화를 관장하던 부산 영주동의 국방부 정훈국이 휴전협정 후 서울 필동의 한국인 마을 쪽으로 옮겨감으로써

영화거리 BIFF 광장[역]

한국영화의 메카인 '충무로 시대'가 열리기 시작했다. 영화 〈기생충〉의 작가 한진원 씨가 오스카 각본상 트로피를 들고서 "미국에 할리우드가 있다면 한국에는 충무로가 있다."고 자랑스럽게 말했지만, 사실 한국영화 출발의 원적지는 부산이다.

　1910년대 광복동의 행좌와 태평관, 부평동의 부산좌, 보래관 등 유명 극장이 있던 부산 남포동 중심가에서 1996년 9월 13일 밤 문정수 부산광역시장이 제1회 부산국제영화제 개막을 선언했다. 27개국 170여 편의 영화가 상영되었던 부산의 첫 국제영화제에서 부산 영화의 메카인 남포동 극장가를 'BIFF(Busan International Film Festival)광장'으로 명명하고 거리에 국내외 유명 영화인들의 핸드프린팅을 새겨 두었다.

　깐느나 베를린, 베니스 등 세계 유수영화제가 중장년층 관객인 데 비해, 부산 남포동의 국제영화제는 20대 전후의 젊은 층이 주류여서 해외언론들은 부산영화제를 '젊은 영화제'라고 소개하고 있다. 부산영화제는 경쟁과 심사를 하지 않는 비(非)경쟁 부분이 특징이지만, 독창성과 예술성을 기준으로 심사하는 뉴커런츠상을 통해 신인 감독들을 지원할 뿐만 아니라 영화 기획단계의 프로젝트 마켓에 주력함으로써 젊은 영화인들의 관심이 무척 많다.

부산국제영화제가 열리면 국내외 영화 팬들이 부산으로 몰려들어 '영화의 바다'에 흠뻑 빠져든다. 베니스나 깐느 등 유명 영화 도시는 바다를 끼고 있어서 영화뿐만 아니라 휴양도시의 매력을 겸비하고 있는데, 부산도 휴양지로서의 매력은 어디에도 뒤지지 않는 도시다.

범일동에는 삼일, 삼성, 보림극장이 트리오를 이루며 반세기 동안 부산의 또 다른 영화거리를 만들었다. 1955년 남포동에서 출발한 보림극장은 1968년 범일동으로 옮기면서 1,734석의 대형 영화관으로 변해 대규모 공연장으로도 인기가 높았다. 영화 〈친구〉에도 등장하는 삼일극장은 일제 말기인 1944년 초에 개장했으며 6.25 때는 부산극장, 동아극장과 함께 피난민 수용소로 사용되었다.

이 트리오 극장은 시내의 개봉관과는 달리 2본동시상영이나 19금 영화를 값싸게 볼 수 있는 삼류극장이라 가난한 학생들이 단속을 피해 가슴 조이며 찾던 곳이다. 특히 부산진구와 동구에 국제고무, 삼화고무 공장이 들어섬으로써 이들 극장은 가난한 노동자들의 유일한 문화공간이 되었다.

부산은 1999년 아시아 최초로 부산영상위원회를 설립하여 촬영지 교섭, 장비와 스튜디오 대여, 펀드 조성 등 영화 제작에 관한 모든 업무를 지원하기 시작했다. 영상위원회 덕분에 2000년에는 한국영화의 40% 이상이 부산에서 촬영되었다. 2019년 말까지 부산영상위원

부산국제광고제(공식 사이트)

회는 1,300여 편의 영화 및 영상제작을 지원했다.

부산은 영화적 상상력과 다양성, 역동성이 넘쳐나기에 2014년 아시아 최초로 유네스코 '영화창의도시'로 지정되었다. 2021년 3월 부산은 로마나 시드니 등 18개 '영화창의도시' 가운데 부의장 도시로 선정되었다. 부산은 영화 관련 인프라뿐만 아니라 송강호, 문소리, 김혜수 같은 일류 배우와 곽경택, 윤제균 감독을 배출한 도시다.

실제로 부산이 영화의 도시로 떠오르기 시작한 것은 고신대 의과대를 다닌 곽경택 감독의 2001년 영화 〈친구〉가 크게 흥행하면서부터다. "내가 니 시다바리가?", "마이 뭇다 아이가 고마해라."와 같은 부산 사투리가 회자되면서 조폭영화의 유사 작품들이 우후죽순으로 나오기 시작했다.

영화도시 부산을 떠받치고 있는 또 다른 상징은 40계단 옆에 자리 잡고 있는 '모퉁이 극장'이다. 독일 감독 에른스트 루비치의 로맨틱 코미디 흑백영화 〈모퉁이 가게〉에서 이름을 가져온 모퉁이 극장은 상영관보다 영화 애호인들이 모인 커뮤니티 활동이 더 돋보인다.

해운대 센텀시티에는 영화의 도시 부산의 아이콘으로 사랑받고 있는 '영화의 전당'이 있다.

4천 석의 야외극장을 비롯하여 하늘연극장, 중극장, 소극장, 시네마테크, 독립영화관 등을 갖춘 영상복합문화공간인 '영화의 전당'은 해체주의 미학을 살린 건물 자체가 하나의 예술품이다.

한쪽 끝만 고정되어 있어서 공중에 떠 있는 느낌을 주는 캔틸레버(Cantilever) 지붕은 세계에서 가장 큰 규모라 기네스북에 올라 있다. 여기에 다양한 영화 체험이 가능한 복합문화공간의 '월드시네마 랜드마크'가 2021년 완공됨으로써 영화창의도시인 부산의 위상이 더욱 높아졌다.

2008년 부산시는 세계 최초로 디지털시대에 걸맞은 온라인 광고 대회인 부산국제광고제(AD STARS)를 개최하여 전(全) 세계 젊은 광고인들의 호응을 받고 있다. '세상을 바꾸는 창조적 솔루션의 공유'를 모토로 일반인들의 온라인 심사도 겸하는 부산광고제에는 아시아에서 세계를 상대로 개최하는 유일한 국제광고제이며 매년 응모 출품작이 2만 점을 넘고 있다. 특히 코로나19로 인해서 대부분의 국제광고제가 행사를 치루지 못한 데 비해 온라인의 특장점을 발휘해온 부산국제광고제는 오프라인 때보다 더 많은 호응을 받았다.

부산의 영화제와 광고제는 세계인들에게 부산을 '영상의 도시'로 한껏 부각시키고 있다.

부산의 야구장은 세계 최대의 노래방

초창기 한국야구의 성지는 부산이다.

1905년 황성기독교청년회(YMCA)의 야구단이 선교사 필립 질레트에 의해 우리나라 최초로 창단되었고, 이어서 한성(경기고), 경신, 휘문 등에 야구부가 생기기는 했지만, 서울 팀들은 별로 두각을 드러내지 못하고 고만고만한 수준에 머물고 있었다. 1920년 조선체육회 출범과 함께 유일하게 치러진 전국스포츠대회 종목은 야구였으며 우승팀은 부산공립상업학교(경남상고)였다.

일찌감치 야구를 도입한 일본은 경부선 주요 역마다 직원 야구팀을 창단했으며 일부 조선인들이 선수로 기용되었다. 산업혁명으로 증기기관이 발명되자 철도가 유럽 각국의 국가 위상을 나타내는 자랑거리로 등장하면서 철도 역사(驛舍)는 바티칸의 성(聖)베드로 성당처럼 웅장하고 멋있게 지어져 도시의 랜드마크로 삼았는데, 일본도 유럽의 이런 풍조를 가져와 철도 역사를 공들여 건설하고 각 역마다 널따란 야적장을 확보하여 야구장으로 활용했다.

일본의 한 도시로 변하다시피 했던 부산에 일찌감치 야구 붐이 일게 된 것은 자연스러운 일이었으며 YMCA 야구단 이전에 이미 부산에는 일본 야구팀이 있었고 일부 한국인들도 야구를 즐겼다.

1921년 5월 한국 최초로 근대체육시설을 갖춘 대정공원(부산 서구청 자리)에서 부산 야구팀인 초량구락부는 일본인들의 부산세관 팀을 8대 6으로 제압했다. 일본 다이쇼 천황의 즉위를 기념하기 위해 세운 대정공원(大正公園)은 야구 외에 스모, 정구, 자전거 경기뿐만 아니라 각종 행사장으로 활용되었다.

1921년 단일 종목으로는 세계 최대 규모의 아마추어 대회인 일본 고시엔(甲子園)에 출전한 조선의 첫 대표 팀도 부산공립상업학교였다. 고시엔 야구장이 신설된 이듬해인 1925년 부산공립중학교는 고작 10명의 선수가 출전했는데도 용산중학교를 4대 1, 원산중학을 23대 3, 경성중학교를 4대 2로 꺾고 조선대표 팀으로 일본에 건너가서 대만의 대북공업을 제압했으나 2차전서 우승후보였던 야마구치의 야나이중학에 4대 3으로 패하고 말았다.

일본 야구선수 출신 시인이자 야구명예전당에 올라있는 마사오카 노보루(正岡升)가 자신의 이름과 발음이 같은 노(野) 보루(ball)에서 베이스볼을 야구로 번역했으며 '봄바람, 공을 던지고 싶은 풀밭'이라는 하이쿠도 남겼다. 젊은 시절 그가 야구를 했던 도쿄 우에노공원에는 마사오카 기념 야구장이 있다.

일본 교육자이자 야구심판인 주만 가나에(中馬庚)는 모든 야구용어를 정리하면서 아웃(out)을 처음에는 '실패'로 번역했다가 청일전쟁을 기점으로 젊은이들의 패기를 돋우기 위해 전쟁용어인 사(死)로 바꾸었다. 그래서 타자와 주자가 동시에 아웃당하는 것을 이때부터 병살타(倂殺打)라고 했다. 또한 숏스탑(short stop)은 전열에서 벗어나 대기하다가 이곳저곳을 기습 공격하는 유격군(遊擊軍)과 같으므로 유격수라고 작명했다.

모든 스포츠 게임에서 희생 번트, 희생 플라이처럼 자기희생이 통용되는 게임은 야구밖에 없기에 일제는 야구를 군사훈련의 하나로 활용했다. 실제로 자신의 목숨을 희생하는 자살특공대인 '가미카제(神風)'의 30% 이상이 야구를 해본 경험자였다. 야구와 전쟁은 작전에 필요한 암호와 사인을 이용하는 공통점이 있으며, 이것이 상대방에게 노출되면 치명적인 타격을 받게 된다.

구기(球技) 종목 중에서 야구는 공이 아니라 사람이 득점하기에 인간성이 특별히 강조되는 경기다. 야구는 신사적인 스포츠이기에 홈런을 친 타자가 배트를 던지는 배트 플립(bat flip)을 금지하고 있다. 상대편 투수를 자극하는 무례한 행동으로 받아들여지기 때문이다. 또한 야구경기 도중 상대선수와 시비가 붙었을 때 양쪽 벤치의 모든 선수들이 집단의 힘을 과시하기 위해 무조건 뛰어나가는, 이른바 벤치 클리어링(bench clearing)을 미덕으로 강조했다.

우리나라 최초로 지방에서 전국고교야구대회를 창설한 곳도 부산이다. 1949년 산업신문사(사장 김지태)가 창립한 쌍룡기 쟁탈 전국중등학교야구대회는 나중에 국제신보의 화랑기 쟁탈 전국고교야구대회로 이어졌다. 1946년에 자유신문사가 신설한 청룡기 야구대회와 이듬해 동아일보의 황금사자기 야구대회 모두 3년 연속 부산의 경남중학(경남고)과 부산상중(부산상고) 등 부산 팀이 휩쓸었다. 부산대와 서울대의 총장을 거쳐 문교부장관을 역임한 윤천주도 1930년대 중반 동래고보의 유명한 야구부 유격수였다.

이와 같은 부산의 야구 열기는 오늘날까지 이어지고 있다. 부산사람들은 롯데자이언츠가 2001년부터 4년 연속 꼴찌를 해도 〈부산 갈매기〉와 〈돌아와요 부산항에〉를 목청껏 부르며 응원했다. 롯데가 꼴찌를 너무 많이 해서 '꼴데(꼴찌 롯데)'라는 자조 섞인 별명을 얻었지

사직야구장(롯데자이언트 홈페이지)

만, 경기에 지더라도 속이 후련해지는 열정적 응원 덕분에 부산 사직
야구장은 야구 응원의 성지가 되었다.

야구 해설가 허구연은 "사직야구장은 세계에서 가장 큰 노래방이
다."라고 정의한 바 있다. 일단 구장에 입장하면 4시간 동안 목청껏
노래 부르고 춤과 흥으로 가득한 축제장에서 마음껏 즐길 수 있기
때문이다. 롯데 팬들이 야구경기 도중 상대팀에 대한 항의나 위협을
표시하는 짧은 한 마디는 '마!'이다. 간간이 "빠따, 쎄리라(세게 때려
라)." 하는 거친 함성이 간주곡처럼 들린다.

롯데가 사직야구장에서 이기는 날이면 부산 거리 곳곳에서 〈부산
갈매기〉 노래로 흥청거린다. 1985년 무렵부터 〈부산 갈매기〉가 〈돌
아와요 부산항에〉를 밀어내고 공식응원가로 자리 잡기 시작했다. 이
노래를 부른 가수 문성재는 제주 출신으로 대전에서 가수활동을 하
고 있는데, 2015년 부산시로부터 명예시민증을 받았다.

이제는 전(全) 세계로 널리 퍼져있는 파도타기 응원의 발상지도 사
직야구장이다. 야구경기가 후반으로 접어들면 오렌지색 비닐봉지가

손에서 손으로 전해진다. 관중들은 비닐봉지를 머리에 동여매고 공식 응원가인 〈부산 갈매기〉를 목청껏 부른다. 오렌지색 응원물결이 파도처럼 출렁거린다. 경기가 끝나면 비닐봉지는 경기장의 쓰레기를 담는 쓰레기 봉지로 요긴하게 사용된다. 일석이조의 응원도구인 셈이다. 영화 〈해운대〉에도 술에 취한 롯데자이안츠 광팬 설경구가 비닐봉지를 머리에 쓰고 이대호 선수에게 주정을 부리는 장면이 나온다.

게임의 결과에는 관심이 없고 응원의 즐거움에 매료되어 구장을 찾는 팬들도 있다. K팝, K뷰티, K콘텐츠에 이어 사직구장의 K스포츠도 한국의 인기상품이 될지 모른다. 일제 강점기에는 야구 응원에도 많은 제약이 있었다. 과열된 응원이 집단항쟁으로 번질까 봐 오직 박수만 허용되던 시절을 상상이나 할 수 있을까.

홈런왕 이승엽 선수가 타석에 들어서면 홈런 볼을 잡으려고 잠자리채 부대가 공이 날아오는 쪽으로 몰려들곤 했는데, 언젠가 김용철 롯데 감독이 걸러내기 사인을 보내자 흥분한 부산 야구팬들의 거친 항의로 경기가 1시간 이상 중단된 적도 있었다.

영국 BBC방송이 2012년 부산의 열성 야구팬과 독특한 응원문화를 소개한 바 있다. BBC의 홈페이지 여행 섹션에 "부산은 어디에도 제2도시라는 열등감이 없다. 부산을 방문하면 반드시 사직야구장 티켓을 구입하라. 야구 좋아하지 않더라도 세계에서 가장 열광적인 스포츠팬 응원을 볼 수 있다."라고 소개하고 있다.

부산에서 선수생활을 한 외국인 용병들도 "이렇게 열광적인 팬들은 미국 메이저리그에서도 찾아보기 힘들다."고 입을 모은다. 부산 사람들은 가까운 친구끼리 만나면 첫 인사가 "오늘 선발 누구야?"로 시작한다. 공통 관심사이기에 주어가 필요 없는 대화다. 흔히 과묵한 경상도 남편들이 직장에서 집에 돌아오면 아내에게 "아는?" "밥 도."

"자자." 세 마디만 한다고 하는데, 부산 사나이는 여기에 "야구는?"을 추가한다는 조크도 있다.

1982년 창단 이후 연고지와 팀명이 한 번도 바뀌지 않은 롯데자이언츠는 구단 중 예매율 1위이며 선수 개인별 응원가도 있다. 구도(球都) 부산의 야구팬들은 종교나 이념이 다른 것은 참아도 구단이 다른 것은 못 참는다. 자기가 응원하는 야구팀을 밝히는 것은 출신이나 취향, 정체성을 드러내는 것이기 때문이다.

"마, 야구하면 부산 아이가?"라고 입을 모으는 부산광팬들에 대한 롯데의 보답도 만만치 않다. 롯데는 2013년 영도대교 복원공사비 1,100억 원을 부산시에 기부한 데 이어, 2017년 8월 17일 두산과의 야간경기 직전에 부산오페라하우스 건립기금 1,000억 원을 사직구장에서 전달했다.

매년 130여 회나 열리는 롯데의 홈경기와 원정경기를 하나도 빠짐없이 찾아다니며 응원하는 외국인 골수팬이 있다. 미국 조지어 출신의 케리 마허는 6.25 참전용사의 아들로서 울산 서부초등학교 원어민 강사를 거쳐 2011년 영산대 영어과 교수가 되면서 제자들을 따라 사직구장에 갔다가 〈부산 갈매기〉에 빠져 귀국마저 포기하고 야구장에서 살다시피 했다.

그는 2019년 8월 정년퇴임하면서 취업 비자가 만료되어 야구팬들과의 아쉬운 작별소식이 알려지자 롯데가 그를 구단 직원으로 특별히 채용하여 외국인 선수들을 보살피는 일을 맡도록 했다. 코로나19로 관중 없는 경기가 진행될 때도 세계에서 유일하게 사직구장 관중석에 앉아 모든 야구경기를 관전했던 사람은 케리 마허였다. 그는 "미국 메이저리그 야구가 오페라라면 한국 프로야구는 로큰롤이다."

영화 〈1984 최동원〉 포스터

라면서 "부산 갈매기는 나의 첫사랑이자 가족."이라고 했다.

부산이 낳은 신화적인 야구투수 최동원이 1991년 부산시의원에 출마하면서 '건강한 사회를 향한 새 정치의 강속구'라는 슬로건을 내걸었다. '무쇠팔' 최동원은 1984년 한국시리즈에서 혼자 4승 1패로 롯데자이언츠를 우승으로 이끌었으며, 1988년 민주화 요구에 맞추어 프로야구선수협의회 결성을 주도했다. 그는 김영삼의 3당 합당에 반대한 노무현의 꼬마정당 민주당 지원을 받았는데, 맺고 끊는 선이 분명한 부산사람들은 아끼는 야구인이 정치 소용돌이에 오염되는 것을 받아들이지 않는 바람에 낙선하고 말았다.

사직구장 본부석 입구에는 강속구와 승부사 기질로 우승을 이끌었던 최동원 선수의 동상이 서 있다. 우리나라 야구인으로는 최초의 동상일 것이다. 그의 등번호 11번은 당연히 영구 결번이다. 최동원이 초등학교와 중학교 때는 에이스라는 뜻으로 등번호 1을 고수했으나 야구는 혼자 하는 것이 아니라 함께 협력해야 한다는 것을 터득하고 고교 때부터 11로 바꾸었다. 2021년 조은성 감독이 만든 영화 〈1984 최동원〉도 개봉일을 11월 11일로 잡았다.

또한 '스포츠 부산' 하면 탁구도 빼놓을 수가 없다. 역대 올림픽 탁구 금메달리스트 4명 중 두 명인 현정화와 유남규가 부산 출신이다. 현정화 한국마사회 탁구팀 감독은 세계선수권대회를 모두 석권하여 '그랜드슬램'을 달성한 탁구의 신화이며, 삼성생명 감독인 유남규는 올림픽에 탁구 종목이 채택된 최초의 금메달리스트로서 한국 남자 탁구의 전설이다.

1924년 1월 경성일일신문사가 주최한 최초의 탁구시합인 '핑퐁경기대회' 100주년을 맞아 부산은 2024년 5월 24일 해운대 벡스코에서 세계탁구선수권대회를 개최한다. 100여 나라 2천여 명의 선수와 임원이 참가할 이번 대회의 슬로건은 'One Table, One World'이며 마스코트는 부산의 시조(市鳥)인 갈매기를 형상화한 '아나'와 '온나'이다. 부산 사투리로 '아나'는 "자, 공 받아라!"는 말이고 '온나'는 "공 받으러 어서 오라."는 뜻이다.

사직야구장 앞의 최동원 동상

우리나라 최초의 근대식 면방직공장 조선방직

조선방직주식회사[역]

1917년 11월 범일동에 들어선 우리나라 최초의 근대식 면방직공장 인 조선방직주식회사는 전국 면(綿) 공급의 30%를 차지한 국내 최 대 기업이었다.

종업원이 한때 3천여 명에 달해 공장 안에 기숙사와 병원 시설도 있었기에 경상도, 전라도, 충청도 등 삼남 각지의 여성들이 부산으로 몰려들었으며, 한때 이 회사에 취직하는 것은 하늘의 별 따기였다.

그러나 하루 10시간씩 솜먼지를 마시며 일하다 면폐증에 걸리는

조선방직 작업 모습[역]

사람들이 나타나기 시작하여 "방직공장에서 15년 일하면 죽는다."
는 말이 나돌기도 했다. 솜 부스러기를 마시며 저임금과 장시간 고된
노동에 시달리던 근로자들이 6차례나 파업투쟁을 벌일 만큼 노동 약
탈로 악명 높은 기업이기도 했다.

　해방 후에는 정치권의 줄을 타고 낙하산 경영인들이 번갈아 내려
오면서 점차 부실기업으로 전락하더니 1968년 5월 조선방직은 마
침내 문을 닫았다.

조선방직 직원들이 즐겨 먹던 '조방낙지'

　노동 약탈에 지친 공장 노동자들이 범일동 회사 근방에서 즐겨 먹
던 음식은 낙지에 참기름, 고추장을 넣어 요리한 낙지볶음이었으며
한때 범일동 뒷골목은 낙지볶음 거리로 통했다. 요즘도 '조방낙지'는

조선방직 파업 기사

부산뿐만 아니라 전국 곳곳에서 그 이름을 만날 수 있다.

　동구 범일2동 일대를 아직도 '조방 앞'이라고 부르는가 하면, 부산 진시장이 혼수, 섬유, 의류 등 포목점으로 유명한 것도 조선방직이 옆에 있었기 때문이다.

　조선방직은 1930년대 초 만주사변을 계기로 일제의 군수공장으로 변모했다는 이유로, 조선방직이 있었던 자리 앞길에 붙여진 '조방로' 라는 이름도 바꿔야 한다는 청원이 최근 만만치 않다.

부산에서 시작된 숱한 1호의 기록들

부산문화방송, 민간상업방송의 효시

우리나라 민간상업방송의 효시도 1959년 4월 15일 호출부호 HLKU, 출력 1kw로 개국한 부산문화방송이다. 부산은 일본방송을 시청할 수 있는 권역이었기에 자율성이 많은 상업방송에 남 먼저 눈을 뜨게 되었던 것이다.

부산문화방송 발상지[원]

부산문화방송은 이승만 정권 말기 3.15 마산의거와 김주열 사건을 중계하다시피 보도함으로써 선풍적인 인기를 얻었고, 마침내 4.19 혁명의 도화선이 되었다.

5.16 군사정권이 정수재단을 설립하여 문화방송 본사를 서울에서 출범시킨 것은 이보다 2년이나 늦은 1961년 12월이다.

우체국과 정기항로, 그리고 최초 화물선

서구 문물인 우체국도 부산에서 시작했다.

우리의 전통 통신제도는 불이나 연기로 위급상황을 알리는 봉수(烽燧) 제도이거나 공문을 빨리 보내는 파발(擺撥) 제도였는데, 1878년 11월 1일 일본관리청(현 환타지아 모텔 자리)에 일본전용의 우편국 사무소를 열었다.

김옥균의 개화파들이 수구당을 몰아내고자 일으킨 갑신정변 쿠데타의 계기가 되었던 우리나라 우정총국 개국 잔치는 6년 뒤인 1884년 10월 17일이다.

1876년 개항과 동시에 부산 왜관 선착장과 일본 나가사키 사이를 매월 왕래하는 정기우편선 니나와호(浪花號)는 우리나라 정기항로의 효시다. 1884년 2월 부산과 나가사키 사이 해저전선이 부설됨으로써 전신 업무도 부산이 시초다. 한성전보총국은 이듬해 서울과 인천 간 전신선을 가설하여 전신 업무를 시작했다.

해방 후 미국을 왕래하는 최초 화물선 극동해운의 고려호가 1952년 10월 21일 부산항 제1부두에 입항했을 때는 이승만 대통령이 직접 나가서 축하연을 벌였다.

장기려 기념 나눔센터[원]

의료보험과 장기려 박사, 이태석 신부, 의인 이수현

부산은 우리나라가 오늘날 세계에 자랑하는 의료보험제도의 선구자인 민간의료보험조합이 최초로 탄생한 곳이다. 한국의 슈바이처로 통하는 장기려 박사는 김일성대학 교수였다가 피난지 부산으로 홀로 내려와서 무료 천막병원을 운영했다. 그가 25년 간 운영한 무료 진료소 복음병원은 고신대 병원의 전신이다.

아시아의 노벨상이라는 막사이상을 받고 오히려 부끄러워했던 그는 옥탑방에서 여생을 보냈다.

성자에 가까운 의사였던 장기려 박사는 병원 문턱을 낮추기 위해

장기려 박사와 의료진[원]

한평생 가난한 이웃을 돌보며 살다간 사회사업 운동가 채규철 씨와 함께 1968년 5월 청십자의료보험조합을 설립했으며 1989년 전국 민의료보험이 실시될 때까지 24만여 명의 조합원들이 전국 480개의 지정 의료기관에서 진료 혜택을 받았다.

부산 출신의 또 다른 의사 성자인 이태석 신부 생가가 부민동 골목에 있다. 세 칸 오두막집에서 홀어머니가 삯바느질로 10남매를 훌륭하게 키웠다니 믿기지 않는다. 생가 뒤편의 천주교 살레시오 수도회의 이태석 신부 기념관에는 남(南)수단에서의 봉사활동을 소개한 다큐멘터리 영화 〈울지 마 톤즈〉가 내방객을 계속 울리고 있다. '남수단의 슈바이처'였던 이태석 신부는 내전으로 갈등을 겪는 양쪽 진영의 부상병을 모두 치료해주었으며 정서적으로 피폐해진 어린이들에게 음악을 가르쳐 심리적 치유도 해주었다.

온몸을 바쳐 남을 돕다가 막상 자신의 건강은 챙기지 못해 마흔여덟 살로 선종한 이태석 신부의 수단 제자들 가운데 의사가 57명이나 나왔다고 한다. 이태석 신부는 아프리카 오지에서 불같은 사랑의 봉사활동을 벌이다가도 심신이 지칠 때마다 근처 호수를 찾아가서 어머님 품과 같은 부산의 바다를 떠올리며 위안을 받았다고 한다.

"나누기엔 가진 것이 너무 적다고 걱정하지 마십시오. 우리에게 하찮은 1%가 누군가에게는 100%가 될 수 있습니다."라는 이 신부의 명언이 기념관을 나와서도 오랫동안 가슴을 울리게 한다.

부산이 배출한 자랑스러운 의인으로 이수현 씨를 빼놓을 수 없다. 수현 씨는 고려대 상대 학생시절인 2001년 1월 일본어 연수차 도쿄에 가서 아르바이트를 하고 귀가하던 중 신오쿠보역에서 취객이 반대편 선로에 추락하는 것을 보고 그를 구하려 뛰어들었다가 목숨을 잃었다. 당시 일본의 한 평론가는 "청년 이수현은 사어(死語)가 되어버린 이타적 희생을 몸소 실천함으로써 옆집에 누가 사는지 흥미도 관심도 없는 슬픈 일본사회를 반성시켰다."고 격찬했다.

한국과 일본 양국에서 그에게 훈장을 수여했으며 그를 추모하는 영화 〈너를 잊지 않을 거야〉가 한일합작으로 제작되었다. 27세로 산화한 이수현 씨는 금정구 두구동 영락공원묘지 7묘역에 안장되어 있으며 초읍동 성지곡로에는 추모비가 있다. 주인 없는 그의 홈페이지에는 아직도 많은 네티즌들이 추모 글을 남긴다.

일본인거류지 부산경찰서 등[역]

부산 송도, 최초의 공설 해수욕장

1913년 개장한 부산 송도(松島)해수욕장은 우리나라 최초 공설해수욕장이다. 초량왜관이 일본인 주거지로 바뀐 후 용두산공원 아래에 살던 일본인들은 자갈치시장 자리인 남빈(南濱) 해변에서 피서를 즐겼다. 그러나 차츰 인구가 늘어나면서 보수천으로부터 오염된 물이 흘러 내려오기 시작하자 남빈 해변의 대안으로 송도를 새로운 물놀이 터로 개발했다.

해송이 울창할 뿐, 섬이 아닌데도 암남동 어촌에 송도라는 이름이 붙은 것은 특이하다. 우리나라 3대 개항장인 부산과 인천, 원산에 모

일본영사관(1884 용두산)[역]

두 송도라는 지명이 생긴 것을 보면 일본의 3대 절경 가운데 하나인 '마쓰시마(松島)'를 그대로 차용해온 것이 아닐까 싶다. 송도에 일본인 피서객이 늘어나자 1925년부터는 남빈에서 송도까지 정기선을 운항하기 시작했다. 1935년 8월 10일자 동아일보에는 '우카키 카즈시케 총독이 부산 송도해변의 별장 메이지야(明治屋)에서 피서를 즐겼다.'는 기사가 있다.

피난수도 시절이 되자 새로운 유원지로 변한 송도에는 요정과 카바레가 들어섰으며,
서울대학과 중앙대학 등 임시학교도 그곳으로 옮겼다. 전쟁 중에도 빈 자리마다 임시 천막학교가 들어섰고, 대학생들에 대한 징집연기 조치로 인해 부산에서 치른 대학 입학시험은 군(軍) 입대와 진학의

1910년 자갈치시장[원]

갈림길이었기에 입시 열풍이 평화시대보다 더 치열했다.

송도는 1960년도 부산 인구가 130만 명일 때 피서객이 350만 명에 이를 정도로 우리나라 제1의 해수욕장이었으며, 제주도 다음으로 선호하던 신혼 여행지였다. 1963년 부산이 직할시로 승격되고 '불도저 김'이라는 별명을 얻은 김현옥이 초대시장으로 취임하여 이곳에 케이블카를 비롯한 갖가지 편의시설이 추진되기 시작했다.

2020년 6월 4일에는 송도해수욕장 서쪽 암남공원에서 작은 무인도 동섬을 잇는 길이 127m의 용궁구름다리가 18년 만에 복원되었다. 높이 25m의 바다 위에 투명한 유리바닥의 출렁다리는 원형 탐방로 모양이어서 수백만 년 전의 지층과 기암절벽이 자아내는 짜릿한 절경의 새로운 명소가 되고 있다.

송도에서는 해수욕장을 걷든지, 암남공원까지 데크 길로 다듬어진

송도해수욕장(부산시 서구 제공)

치유의 숲을 산책하든지, 해상 케이블을 타고 하늘 길을 걷는 세 가지 코스가 있다. 그 중 송도해변에서 안남공원을 한 바퀴 도는 송도해안 볼레길에는 1억 년 전 공룡알둥지 화석을 관찰할 수 있는 해식 절벽이 1km 정도 병풍을 치고 있다. 최근 송도에 개관한 페어필드 바이 메리어트호텔은 전망이 좋은 6층 전체가 스위트룸이며 23층 꼭대기 루프 탑에서는 멀리 대마도를 건너다 볼 수 있어서 호텔에서 바캉스를 즐기는 호캉스로 인기가 높다.

파도타기 스포츠인 서핑의 발상지도 송도해수욕장이다. 파도를 찾아 떠나는 4계절 여행 레포츠로 각광받고 있는 서핑의 성지답게 부산 송정에는 서핑학교도 있다. 송정이 서핑의 성지로 각광받고 있는 것은 수심이 완만한 데다 여름에는 남서풍, 겨울에는 북동풍이 불어 4계절 내내 질 좋은 파도가 있을 뿐만 아니라, 겨울에도 바다 수온이 높고 따뜻하기 때문이다.

부산에서는 39번 시내버스를 타면 광안리해수욕장에서 해운대, 송정, 기장, 일광해수욕장까지 순회할 수 있다.

부산의 유명 해수욕장 주변은 6월이 되면 바다안개가 연출하는 부산 특유의 멋진 풍광을 즐길 수 있다. 장마가 시작될 무렵 먼 바다의 습한 공기가 남풍을 타고 밀려오면서 솜사탕 같은 하얀 해무(海霧)가 산과 건물을 에워싸기 시작한다.

김승옥은 소설 〈무진기행〉에서 무진의 안개가 적군처럼 진군해 와서 동네를 빙 둘러싸기도 하고 산들을 멀리 유배시켜 버린다고 했지만, 부산 안개는 봉래산 천마산로 주변에 고깔모자를 씌우는가 하면, 마천루인 해운대 마린시티를 공중에 띄우기도 한다.

이밖에도 뮤직 박스, 가라오케, 담배, 찜질방, 이태리타월 등의 대중문화는 부산을 발판으로 상륙했다. 구공탄이라는 연탄도 피난시절 부산에서 태어났다. 구멍이 마치 연꽃 씨를 닮았다고 하여 처음에는 연꽃탄이라고 불렀다. 우리가 세계에 자랑하는 버스와 지하철 연계 교통카드도 부산이 원조다.

부산은 일본의 대륙침략 전진기지

부산이 식민지 조선과 일본을 잇는 관문이자 해외 문물의 첫 시험 장이었기에, 일본의 대륙침략을 위한 전진기지로 이용되는 아픔도 피하기 어려웠다.

부산은 일본의 침략을 가장 먼저, 가장 많이 받았기에 항일정신이 강한 지역이기는 하지만, 한편으로는 일본에 적극적으로 협조하여 개인영달을 누리는 사람들도 적지 않았다. 오늘날에도 부산은 좋든 싫든 일본식 어투와 풍습이 어느 곳보다 많이 남아 있는 편이다.

부산에는 특이하게도 결혼식에 참가한 축하객에게 혼주가 돈 일부 를 봉투에 넣어주는데, 이것은 경조사 때 받은 축의금이나 위로금의 절반을 상대방에게 되돌려주었던 일본의 한가에시(半返し) 풍습에 서 온 것으로 보인다.

부산의 섬이라면 영도를 떠올리지만 가장 큰 섬은 더덕이 유명하 여 이름을 얻은 가덕도이다. 부산 강서지역의 8경 중 두 곳이 가덕도 에 있을 정도로 경관이 아름다운 곳이다. 맑은 날 대마도가 보이는 가덕도는 조선시대 적군과 대척하는 최전방 군사기지였다. 위급한 상황을 알리는 봉수대의 출발점은 가덕도였으며 임진왜란의 첫 신 호도 가덕도 연대산에서 시작했다.

가덕도 대항 [VB]

　조선시대에 부산은 최전방 지역이었기에 우리나라에서 유일하게 임진왜란 첫날부터 왜군이 마지막 철수하는 날까지 일본군의 점령을 가장 오랫동안 받았던 곳이다.

　임진왜란 후 통신사가 왕래하면서 일본과는 일단 평화를 유지했으며 공식적인 무역은 두모포왜관에서 이뤄졌다.

　우리나라 최초의 세관에 해당하는 두모포왜관이 지금은 수정시장 안에 있지만 당시는 바다를 매립하기 전이라 해안가였다. 조선정부는 임진왜란의 악몽 때문에 일본 사신은 부산까지만 오도록 제한했기 때문에 조선과 일본 간의 모든 외교통상은 부산에서 행해졌다.

　17세기 중반에 이르러서는 왜관을 통한 공식적인 거래 외에 가덕

두모포왜관 표지석[역]

도를 거점으로 무기 밀매가 행해지기 시작했다. 특히 에도 막부(幕府)는 1667년 후쿠오카 상인이었던 이토 코자에몬(伊藤小佐衛門)이 주도한 나가사키 무기 밀매단 93명을 적발하여 주범 43명과 가족들은 처형시키고 50명은 추방하는 무거운 형벌을 내렸다.

무기 유출을 엄격히 금지하던 시절이라 무기 밀수사건은 에도 막부 초기의 최대 스캔들이었다.

수차례 전란을 통해 신무기의 필요성을 절감한 조선은 오랑캐인 청나라에 대한 북벌 야심을 갖고 있었기에 조정의 묵인 아래 무기 밀거래가 이뤄졌던 것이다. 조선 관리가 개입한 밀수 사건이라 일본의 항의가 워낙 심했고, 이를 무마하기 위해 보다 넓은 지역인 초량으로 왜관을 옮겨주었다.

가덕도의 어제와 오늘

가덕도는 신라시대 당나라와 교류하던 무역항이 있을 정도로 예로부터 통상의 중심지였던 반면, 왜구가 부산으로 들어오는 길목이어서 임진왜란 시기에는 일본이 이곳에 왜성을 쌓고 침략의 교두보로 삼았다. 흥선대원군이 1871년 "서양 오랑캐 침범을 막자."는 척화비를 여기에 세울 정도로 가덕도는 전략적 요충지이다.

외세 침입을 막으려 했던 대원군의 쇄국정책에도 불구하고 일본은 1904년 말 러시아와 전쟁 수행을 위해 가덕도 남단 외양포에 거주하던 주민 64가구를 몰아내고 진해만 요새 사령부를 이곳으로 이전시켰다. 일본군은 이주에 반대하던 외양포의 양천허씨 집성촌을 총칼로 위협하면서 마을 전체를 불태워 버렸다. 고향을 빼앗긴 주민들은 고개 너머 대항마을로 집단 이주했다. 일본은 러일전쟁이 발발하자 대한제국 영토를 자기네 군사기지로 사용할 수 있는 한일의정서

외양포마을[역]

일제강점기 일본해군사령부 설치 표지석인 사령부발상지지비[역]

일제강점기 일본군 포진지 터[역]

를 근거로 만행을 저질렀던 것이다.

일본군은 러시아 함대와 벌일 해전에 대비하여 엄폐 막사 2개소, 탄약고 3개소, 280밀리 고사포 6문을 가덕도에 배치했다. 이듬해 일본의 쓰시마 해전에서 발틱함대를 격파시키는 데 외양포 사령부의 포병대대가 큰 기여를 했다.

외양포에서 쫓겨난 원주민들이 40년 만에 다시 고향으로 돌아와 살고 있지만, 외양포에는 아직도 일본군 막사와 탄약고, 포대, 우물 등 암울했던 일제 강점기의 전쟁 흔적이 박제된 모습으로 고스란히 남아있다. 요즘 가덕도는 폴란드의 유태인 집단학살 수용소인 아우슈비츠나 뉴욕의 9.11 테러장소인 그라운드제로처럼 비극의 역사현장을 찾는 다크 투어(dark tour) 코스로 활용되고 있다.

비록 일제 강점기 군수품 운반을 위해 구축된 길이기는 하지만 외양포 포대와 말길은 괴정동 샘터공원에 있는 수령 600년의 회화나무와 함께 부산 최초로 국가산림 문화자산으로 지정되었다. 말길이 아픈 역사를 담고 있지만 석축기술과 산길 개설방법에 대한 연구를 위해 보존가치가 높다고 평가되었기 때문이다.

최근 신공항 건설지역으로 각광받고 있는 대항마을은 '육수장망'이라고 하는 가덕도 전통 어로법으로 숭어를 잡고 있다. 초여름쯤 플랑크톤이 많은 낙동강 하류의 민물 냄새를 맡고 떼 지어 오는 숭어는 육질이 부드럽고 향긋한 단맛이 나기에 가덕도 숭어를 으뜸으로 친다. "숭어 누웠다가 간 자리의 뻘도 달다."라는 말이 있을 정도다.

숭어는 맛이 워낙 좋아서 한자로는 '빼어난 생선'이라는 뜻의 수어(秀魚)로 표기한다.

소리와 냄새에 예민한 숭어 떼를 자극하지 않기 위해 노를 젓는 목

숭어로도 유명한 외양포

선 6척으로 원을 그려 그물을 깔아놓고 기다린다. 배의 위치에 따라 밖목선, 안목선, 밖잔등, 안잔등, 밖귀잡이, 안귀잡이 등 각각 이름이 있다. 어로장이 산 위의 망루에서 지켜보다가 신호를 보내면 한꺼번에 그물을 끌어올리는 방법이다.

이렇게 잡은 숭어는 상처와 스트레스가 적어 맛이 뛰어나고 싱싱함을 오래 유지한다는 것이다. 요즘은 숭어 떼가 몰려오면 망대에서 원격 조종하여 기계로 그물을 올리고 있다.

겨울철이 되면 가덕도와 거제도 사이 바다에는 대구가 제철이다. 가덕 대구는 조선시대 진상품이었기에 그 자부심을 부활시켜 2015년부터 매년 겨울이면 '가덕 대구축제'를 벌이고 있다.

부산 하면 갈매기가 연상되지만 가덕도에는 솔개가 겨울 철새에서 텃새로 자리잡아가고 있다. 전국의 들판과 야산을 굽어보며 하늘을 맴돌던 천연기념물 솔개가 농약이나 쥐약 살포 등으로 들쥐나 개구리 같은 먹이사슬이 오염되자 부산 일대의 수산물 찌꺼기에 의지하면서 가덕도에 토박이 살림을 차리고 있다.

경부선 철도와 관부연락선

일본은 조선을 디딤돌로 하여 만주와 중국 등 대륙 침략을 위해 서울과 부산을 잇는 경부선 철도 건설과 함께 부산에서 250km 뱃길인 시모노세키(下關)를 왕래하는 관부연락선(關釜連絡船) 취항부터 시작했다. 1901년 8월 21일 부산 초량과 서울 영등포에서 각각 경

관부연락선과 경부선 열차[원]

부선 철도 착공식을 성대하게 열었다.

초대 조선통감으로 부임한 이토 히로부미는 도로와 철도 신설, 교육시설 개선, 각종 산업 근대화를 추진하면서 그 비용은 모두 조선에 부담시켰다.

물론 조정에 돈이 없으므로 조선정부가 차관 형식으로 당시 대한제국의 예산과 맞먹는 1,300만 엔을 일본흥업은행으로부터 빌렸다.

나라가 빚더미에 오르면서 일본에 경제적 예속화가 우려되자 국민 각자가 십시일반으로 빚을 갚아서 국권을 회복하자는 국채보상운동이 가장 먼저 일어난 곳도 부산이었다. "부산은 일본의 횡포를 일찌

감치 경험한 데다 기독교 영향의 개방도시였기에 자립운동에 앞장설 수 있었다."는 것이 신라대 이송희 교수의 설명이다.

부산에서 시작된 국채보상운동

1907년 3월 동래 상인들이 '동래부 국채보상일심회'를 조직하여 "남자는 담배를 끊고 여자는 비녀와 가락지를 헌납하자."는 운동을 벌이기 시작했다.

국채보상운동 취지서(기사)[역]

국채보상운동은 대구와 서울, 평양 등지로 들불처럼 번져나갔으며 기생들의 참여도 활발했다. 각 도시마다 여성보상회가 별도로 설립되었는데 부산에는 유일하게 좌천동과 동래 등 2곳에서 여성보상회가 출범했다. 국채보상운동은 임금으로부터 관료, 지식인, 민족자본가, 부녀자까지 전 국민의 25%가 참여했지만, 일본의 간교한 방해로 결국 좌절되고 말았다.

그로부터 꼭 90년 후인 1997년 외환위기 때의 금 모으기 운동은 제2의 국채보상운동이라고 할 수 있다.

부산상공회의소는 2007년 2월 국채보상운동 100주년 기념식을 가졌으며, 국채보상운동의 모든 기록물은 2017년 10월 유네스코 세계기록문화유산으로 등록되었다.

일본은 경부선 철도공사를 위해 토지를 강제로 수용하고 조선인을 공사현장에 무상 동원하는가 하면 가축을 멋대로 잡아가는 등 민폐가 심해지자 철도 공사장 주변의 농민들이 도주하는 경우가 많았다. 일본의 횡포에 반감을 가진 일부 주민들은 가설한 철길을 폭파하거나 커다란 돌무더기를 철로에 얹기도 했다.

경부선 철도공사를 조직적으로 방해한 사람들 가운데 주모급인 김성삼, 이춘근, 안순서는 일본군에 총살형을 당했다.

침략과 개발의 두 얼굴 가진 근대화의 산물

1905년 1월 1일 초량에서 영등포까지 경부선 철도를 개통하면서 동시에 관부연락선의 운항시간도 경부선 시간표에 맞추어 운영했다. 산요철도의 자회사인 산요기선이 운영하던 최초의 관부연락선 잇키마루(壹岐丸)가 취항한 날은 1905년 9월 11일이었다.

경부선 철도와 화륜선 잇키마루가 우리나라 문학작품에 처음 등장하는 것은 1912년에 발표한 최찬식의 애정 신소설 〈추월색〉이다.

해운대 블루라인[VB]

주인공 정임이가 부모의 결혼 강요에 반대하면서 애인을 만나러 동경으로 도주하는 과정이 자세히 묘사되어 있다.

관부연락선의 배 이름도 초기에는 일본 섬 이름인 잇키, 쓰시마로 시작했다가 조선을 완전히 합방한 후에는 고려, 신라, 경복, 덕수, 창경 등을 운행했으며 만주와 중국으로 세력 확장을 하고서는 금강, 곤륜, 천산, 흥안 등으로 바꾸었다.

일본이 레이와(令和)시대를 맞아 2024년 새롭게 발행되는 1만원권 지폐 주인공으로 등장하는 '일본의 설계자' 시부사와 에이이치는 당시 경부철도주식회사 사장이었으며, 지금의 서울역인 한성 남대문역에서 열린 경부선 개통 축사에서 "철도는 문명개화와 산업발전을 가져올 것"이라며 장밋빛 전망을 밝혔다. 그러나 시부사와 에이이치 역시 한반도 침탈에 앞장섰다.

일본이 조선에 와서 가장 먼저 시행했던 식민지 역점사업은 부산에서 신의주까지의 철도건설이었다. 일제의 철도건설은 침략과 개발의 두 얼굴을 지닌 근대화의 산물이었다. 철도는 1919년 3.1만세운동이 전국적으로 급속히 확산되는 데 크게 기여하기도 했다.

3.1운동 이후부터 조선인의 이동을 감시하기 시작하면서 연락선을 타려면 도항증명서가 필요했다. 도항증은 신분을 확인하는 여권과 같은 것이었다.

이른바 불령선인(不逞鮮人)을 가려내기 위한 제도가 일자리를 찾아 일본으로 밀항하려는 노동자들에게는 큰 걸림돌이었다.

막상 부산까지 와서 도항길이 막혀버린 절박한 노동자들을 노리는 사기꾼들이 부두 주변에 득실거렸다. 1935년 순수문예잡지 《조선문단》 4월호에 발표한 이남원의 소설 〈부산〉에서 브로커에게 사기 당한 주인공이 일본행 대신 만주에 막일꾼으로 끌려가면서 "부산은 양심 없는 마굴이자 썩어가는 인간지옥이다."라고 욕설을 퍼붓는다. 실제로 부산의 유지들은 4천여 명에 이르는 도항 대기자들의 문제를 해결하기 위해 모금도 하고 중앙정부에 대책을 강구하기도 했다.

'여객선'이 아니라 '연락선'이라고 한 것은 승객이 아니라 전쟁물자 연결수송에 무게를 두었기 때문이다. 증기선 잇키마루호가 부산서 11시간 30분 운항하여 시모노세키에 도착하면 동경까지 철도로 연결되고 부산에서는 경부선과 경의선을 거쳐 만주와 시베리아, 유라시아로 연결되므로 일본 제국주의의 대동맥이 구축된 것이다.

일제의 대륙침략이 본격화되는 1936년 경부선 복선공사가 시작되어 1944년 10월에 완공되었으며, 부산진에서 출발하는 동해남부선은 1930년 7월에 착공하여 1935년 말에 개통되었다. 동해남부선은 한 세대 전만 해도 젊은이들이 통기타를 치며 해운대, 송정, 기장, 일광 등 해수욕장을 오가던 낭만의 철도였기에 당시의 분위기가 잘 간직된 송정역은 등록문화재 제302호로 지정되어 있다.

동해선의 복선전철 건설로 폐선(廢線)이 된 동해남부선 부지에 해운대 미포에서 청사포를 거쳐 송정까지 왕복하는 친환경 배터리 충전식 해변열차 '해운대 블루라인파크'가 2020년 11월에 등장하여 동부산(東釜山) 해안의 수려한 풍경을 즐길 수 있는 새로운 관광명소로 떠오르고 있다.

높이 10m의 공중레일 위에서 시속 15km로 서행하는 이 스카이 캡슐은 오륙도, 이기대, 광안대교, 동백섬 등의 절경을 두루 안내하므로 야간 데이트를 즐기는 젊은이들에게 인기가 높다.

관부연락선의 운항 초기에는 연간 4만 명 정도가 연락선을 이용했으나 1938년 국가총동원법이 발동되고 나서는 광부, 부두노동자, 학도병, 보국대, 여자정신대 등 대규모 인력송출 때문에 이용객이 300만 명으로 크게 늘어났다. 1940년대는 관부연락선 외에도 부산과 하카다, 제주와 오사카, 여수와 시모노세키 등을 연결하는 새로운 연락선이 개설되었다.

그러나 1943년 10월 5일 밤 부산으로 오던 7,903톤급 곤론마루(崑崙丸)가 미(美) 해군 잠수함의 어뢰 공격으로 승객 544명이 침몰하는 사고가 난 이후 야간운행이 금지되고 낮에도 수상비행기의 엄호 아래 운항되었다. 2차 대전 말기 연합군의 폭격이 심해지자 1945년 3월부터는 관부연락선의 운항이 사실상 중단되었다.

경부선 시발점은 부산역

당시의 경부선은 요즘과 달리 부산이 시발점이었기에 부산에서 경성으로 향하는 기차를 하행선이라 하고 부산으로 내려오는 기차를 상행선이라고 불렀다. 기차와 연락선의 최종 목적지는 일본 동경이었기 때문에 동경 행을 동상(東上)이라고 하고 조선에 오는 길을 귀선(歸鮮)이라고 했다.

경부선 철도가 개통됨으로써 부산이 제2의 도시로 부상했으며, 우리 사회의 문화도 달라지기 시작했다.

전통적으로 '남녀는 7살이 되면 한 자리에 같이 앉지 않는다(男女七歲不同席).'는 유교의 가르침이 무너졌으며, 열차시각 때문에 시간에서 분(分)이라는 개념이 중요시되었다.

부산역[원]

부산세관[역]

그러나 같은 돈을 내고도 조선 사람은 일본인보다 낮은 등급의 대우를 받는 차별의 공간이기도 했다.

"3등 칸에 탄 조선 승객은 존재하지도 않는 4등 칸 손님 대우를 받는다."는 일본승객의 여행기도 있다.

부산 시내의 첫 철도는 경부선보다 4년 앞선 1901년 10월 초량과 구포 사이 16.6km 경(輕)철도였으며, 그 후 일본인 주거지인 중앙동 부산해관까지 연장했다. 산업혁명 이후 현대문명의 상징이 된 기차의 초창기 속도는 마차의 3배 정도인 시속 40km에 불과했지만, 당시 '독립신문'은 "수레 속에 앉아 영창을 내다보니 산천초목이 모두 활동하여 달리는 것 같고 나는 새도 미처 따르지 못하더라."고 탑승 소감을 게재하고 있다.

부산역전 대화재[원]

　육당 최남선도 경부선 개통식에 헌정했던 창가 〈경부철도가〉에서 "풍신수길 군사가 쳐들어올 때에/ 부산으로 파견한 소서행장의/ 혈전하던 전장이 여기었더라/ 얼른 보면 일본과 다름이 없고/ 조그만 나룻배도 일본이 부려/ 우리나라 사람은 얼씬도 못 하네."라고 부산을 묘사하고 있다.

　부산역 건물은 일본 국회의사당과 동경역을 세운 일본의 대표 건축가 다쓰노 긴코(辰野金吾)가 설계했으며 서울역과 한국은행 본점도 그의 작품이다. 붉은 벽돌과 화강암으로 외벽을 감싼 네오 르네상스식인 부산역사는 서울역보다 15년이나 앞선 1910년 10월에 　완공되어 경부선 개통 이후 가장 먼저 만들어진 현대식의 역사(驛舍)다. 1층은 역무실, 매표소, 개찰구, 대합실 등으로 쓰고 2층은 호텔과 고급식당이 있었다. 철도국에서 운영한 부산 철도호텔은 우리나라 최초 국영호텔이다. 부산역에서 가장 돋보인 것은 첨탑 지붕에 동서남북 네 방향으로 드러난 시계탑이었다.

부산역과 부산세관, 부산우편국은 부산의 3대 르네상스식 건물이었다. 중구 중앙동4가 부산무역회관 자리에 있었던 부산역과 대청동 부산우체국 뒤편에 자리했던 부산우편국은 1953년 11월 대화재로 함께 소실되어 버렸다.

1910년경 지어졌던 부산세관은 1980년 부산대교 건설에 따른 연안부두와의 연결을 위해 헐리고 말았다. 조선총독부 중앙청 건물이 헐리면서 건물 꼭대기의 첨탑만 천안 독립기념관으로 옮겼듯이 부산세관 첨탑도 새로운 집 부산세관 마당에 보관되어 있다.

경부선 철도와 관부연락선에 서린 사연들

우리나라 해양경찰의 원조인 부산수상경찰서가 1920년 초 부산연안터미널 근방에 신설되었다. 성능이 우수한 경비정도 갖추고 전국 해안의 경비와 어업 단속 및 해난 구조까지 담당할 정도로 그 위상이 대단했다. 이 수상경찰서의 서양식 건물도 부산세관처럼 부산대교 개설로 사라져 버렸다.

경부선 철도와 관부연락선에는 한 많은 사연이 서려 있다. 3.1운동 직전인 2월 19일 일본여성으로 위장하여 허리띠에 춘원 이광수가 작성한 동경 유학생들의 '2.8독립선언서'를 감추고 왔던 김마리아, 볼모로 일본행을 택해야 했던 영친왕, 대마도 백작과 정략 결혼한 비운의 덕혜옹주, 쇼와 일본 왕에게 폭탄을 던진 애국단원 이봉창, 유학길에 올랐다가 일본 감옥에서 숨진 윤동주, 현해탄에 몸을 던진 성악가 윤심덕과 극작가 김우진, 이병주의 소설 〈관부연락선〉 주인공

유태림 등도 이 길을 통해 일본을 왕래했다.

'조선을 구할 미국 공주님'으로 행세하며 칙사 대접을 받았던 루즈 벨트 대통령 딸 앨리스와 조선을 일본 지배하에 두기로 가쓰라 다로(桂太郎)와 밀약한 윌리엄 태프트 미국 육군장관도 특별열차 편으로 부산에 와서 시모노세키 행 배를 탔다. 이 밖에도 수많은 우리 젊은 이들이 학도병이나 보국대라는 이름으로 징용에 끌려갔던 길도 관부연락선이었기에 연락선을 '지옥선'이라 부르기도 했다.

10대 소년시절 일본으로 건너가 밑바닥의 공장생활을 경험했던 가수 남인수가 "울며 헤진 부산항을 돌아다보는/ 연락선 난간머리 흘러온 달빛/ 이별만은 어렵더라/ 이별만은 슬프더라."면서 애달프게 부른 〈울며 헤진 부산항〉은 부산 송출장의 아픔을 대표하는 노래다. 또한 평양 화신상회 점원 출신인 장세정이 1937년에 부른 노래 〈연락선은 떠난다〉는 사랑하는 사람과의 가슴 아픈 생이별을 노래한 국민 애창곡이었다.

부산은 그 이전에도 아픔의 송출장이었다. 15세기 대항해시대를 맞아 유럽 열강들이 일본 전국시대 각 영주들과 전쟁을 벌이고 배상 조건으로 일본인들을 납치해서 노예나 용병으로 팔았는데, 꼭 100년 후 임진왜란 때는 조선인들을 노예로 대거 납치해간 곳이 부산항이었던 것이다.

특히 1593년 진주성 전투와 1597년 정유재란 때 진주와 남원 등지에서 10만 명 가까운 조선인들이 전쟁포로로 잡혀갔으며 이들 중 상당수가 전쟁비용 충당을 위해 포르투갈 상인들에게 넘겨졌다.

루벤스가 동양인을 최초로 드로잉한 소묘화 '한복을 입은 남자' 안토니오 코레아의 실제 모델도 16세기 말 피렌체 상인에게 팔려서 로마로 간 조선인으로 추정되고 있다. 임진왜란으로부터 120년 후 조선통신사 제술관이었던 신유한의 일본 여행기 『해유록(海游錄)』에는 "교토 후미성 남쪽 요도강변에 진주에서 납치된 조선인들의 마을 '진주섬'이 있다."고 기술하고 있다.

부관 페리호의 항해와 〈돌아와요 부산항에〉

1965년 한일관계가 정상화된 지 5년 후인 1970년 6월 부관(釜關) 페리호가 관부연락선과 같은 항로로 운행을 시작하면서 1976년부터 국민 애창곡으로 크게 히트한 노래가 조용필의 〈돌아와요 부산항에〉이다. 이 노래는 통영 출신 가수 김해일이 직접 작사한 가사를 부산 출신 작곡가 황선우에게 부탁하여 만든 노래 〈돌아와요 충무항에〉가 원곡이다.

김해일이 부른 원래 가사도 "꽃피는 미륵산에 봄이 왔건만/ 님 떠난 충무 항에 갈매기만 슬피우네/ 세병관 둥근 기둥 기대어 서서/ 목메어 불러 봐도 소식 없는 그 사람/ 돌아와요 충무 항에 야속한 내 님아"로 되어 있었다. 그러나 김해일은 노래 취입 이듬해인 1971년 12월 25일 서울 대연각호텔 화재로 사망함으로써 노래도 함께 사라졌다. 통영 서피랑 공원에는 요절가수 김해일의 노래비가 세워져 있다.

그 무렵 4반세기 동안 단절되었던 부관 페리호가 다시 연결되자 정부의 적극적인 조총련 모국방문 정책에 따라 이 노래의 가사를 바꾸어 홍보용으로 활용했다. 노래 가사에서 '님'을 재일동포인 '형제'로 바꾸고, 장소도 충무에서 부산으로 변경했다. 재일교포 98%가 남한 출신이기에 부산은 이들을 초빙하는 최적지였기 때문이다.

국민가왕이 된 조용필은 해운대 홍보대사가 되고 그의 노래비도 해운대에 세워졌다. 조용필의 〈돌아와요 부산항에〉가 20세기 최고

히트한 대중가요로 선정되는가 하면 김희라, 유정희 주연의 동명 영화도 제작되었다.

조용필의 노래가 크게 히트하자 원곡 가수 김해일 어머니는 작곡가 황선우를 상대로 가사 저작권 소송을 제기하여 3천만 원의 승소 판결을 받기도 했다.

번갯불 잡아먹고 달리는 괴물 쇠 당나귀

일제 강점기 시절 우리나라에는 전차가 서울과 부산, 평양 세 곳에 있었다. 부산에 전기가 들어온 것은 1902년 광복동 거리에 가로등이 밝혀지면서이고, 전차가 등장한 것은 1915년 11월 1일 중구 중앙동의 부산우편국에서 동래 온천장까지 12.8km가 시작이다. 전차가 등장하기 6년 앞서 부산진에서 동래 남문 간 협궤철도의 경편 기

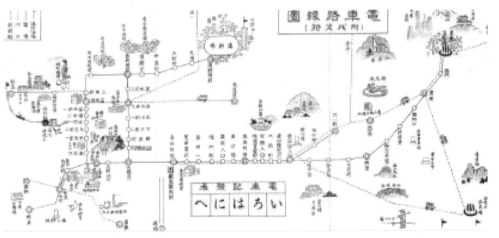

전차노선도[역]

광복동의 전차[원]

영도다리의 전차 시범운행[역]

영도전차종점기념비[원]

관차가 운행하기 시작했다. 최종 목적지가 동래로 정해진 것은 일본인들의 온천장 이용이나 금정산 관광을 위한 목적이었다.

전차가 지나갈 때 케이블에서 번쩍번쩍 불빛이 나는 것을 보고 '번갯불 잡아먹고 달리는 괴물' 또는 '쇠 당나귀'로 통했다. 처음에는 부산진과 동래를 왕래했다가 1915년 부산역에서 온천장, 1928년에는 대신동 공설운동장, 1934년 영도다리 개통과 함께 영도 남항동까지 확장했다. 특히 1924년 전철이 복선화됨으로써 대중 교통수단으로 제 기능을 하게 되었다.

초기에는 정거장이 없어서 아무데서나 손을 들어 타거나 내렸다. 부산역에서 온천장까지 5구간으로, 1구간마다 요금이 5전이어서 왕복 전차요금 50전은 날품팔이 노동자의 하루 품삯과 거의 같았으므로 비싼 편이었다. 일본인들은 전차를 타고 동래까지 온천 나들이를 하곤 했다. 온천장 왕복표에 목욕 입장권까지 끼워 파는 할인행사를 벌이기도 했다.

일부 일본인 전차 운전수는 조선인 승객을 어린애 다루듯이 하대하거나 때로는 부녀자들을 희롱하기도 했다. 1925년 5월 부산일보는 '불친절한 부산전차'라는 제호 아래 "17세 여학생이 영주동에 내린다고 해도 못 들은 체 계속 운행하자 달리는 차에서 학생이 뛰어내려 부상을 입었다."는 기사가 실려 있다. 전차 운전수들의 횡포가 심해지자 '범어사 부처님도 노할 정도'라는 말이 나돌기도 했다.

전차 개통 다음해인 1916년 9월 13일 밤 영가대를 출발하여 범일

전차 충돌사고와 철거[원]

동으로 향하던 전차에 행인이 치여 1명이 죽고 3명이 크게 다치는 전차 사고가 일어났다. 운전수가 동승한 승객과 잡담을 나누다 앞을 보지 못했던 것이다. 이를 목격한 시민들이 운전수에게 돌을 던지며 전차를 뒤집어버렸다. 평소 운전수들의 횡포에 불만이 많던 시민들이 사고를 수습하기 위해 순사가 타고 온 전차마저 전복시키는 소동

서면로터라 근처 젊음의 거리[VB]

이 일어났다. 결국 현장에서 항의하던 39명의 조선인이 검거되었으며 이 시위를 주도한 4명은 6월에서 1년간 옥살이를 했다.

　서면은 동래부의 서쪽에 위치한다고 해서 붙여진 이름이지만 도시 확장과 함께 상업과 금융, 의료의 중심이 되어 1960년대는 서면을 기점으로 동래와 구덕운동장, 영도 남항동 등 3개 전차 노선이 있었다. 해방 후 미국 애틀랜타로부터 30년 이상 달리던 중고 전차를 무상원조 받았기에 차량 여유가 생긴 것이다.
　1963년 1월 1일 부산이 경상남도와 분리되어 직할시로 승격한 것을 기념하는 멋진 탑이 서면로터리에 세워졌다. 부산의 밝은 미래를 이끌어나갈 '부산 재건의 탑'은 평양예술학교 출신의 박봉춘 조각가의 작품이며 삼성 이병철, 럭키 구인회, 동명목재 강석진 등 부산상공회의소 회원들의 후원으로 건설되었다.

그러나 1981년 7월 지하철 1호선 공사를 시공하면서 로터리가 교통체증을 유발한다는 이유로 로터리와 탑이 철거되고 말았다.

부산사람들은 아쉬움이 너무 커서 아직도 그곳을 서면로터리라고 부른다.

나의 고교 시절인 1962년에는 1구간 전차요금이 2원 50전이고 2구간이 3원이었다. 53년 간 운행하던 부산 전차는 1968년 5월 20일 막을 내렸으나 동래선 일부는 1973년까지 운행되었다. 온천장에서 구덕운동장까지 운행하던 마지막 전차가 동아대학교 부민캠퍼스에 전시되어 있다.

전차 운행이 중단되자 동아대학교는 한국전력의 전신인 남선전기로부터 학습용으로 전차를 기증받아 박물관에 보관하다가 임시수도 기념거리 조성에 맞춰 일반시민에 개방한 것이다. 임시수도 청사였던 동아대박물관과 이승만 대통령의 관저가 있는 이 일대 토성동은 삼국시대부터 토성(土城)을 쌓았던 곳이다.

이완용의 비서였던 이인직이 천도교가 발행한 기관지 '만세보'에 1905년 10월부터 이듬해 5월까지 연재한 우리나라 최초의 신소설 〈귀의 성〉의 주요 배경이 부산이다.

부산은 근대문물과 제도를 갖춘 개항장이므로 개화기 소설의 배경으로는 안성맞춤이었기 때문이다. 관리의 부패와 처첩 간의 갈등을 그린 이 소설에서 주인공들은 당시 신문물인 철도와 우편제도, 재판소를 이용했으며 초량과 범어사가 활동무대로 등장한다.

부산의 원래 표기는 富山

부산의 뿌리는 동래(東萊)다. 동래의 옛 이름 내산국(萊山國)은 신선이 사는 봉래산을 의미하므로 동래는 동쪽 내산국이라는 뜻이다. 조그만 부족국가였던 동래가 얼마 후 신라에 복속됨으로써 동래는 신라와 김해 가락국 사이의 경계지역이 되었다. 조선시대 부산은 동래부 소속이었으나 1907년 부산부가 신설됨으로써 동래에서 분리되었다.

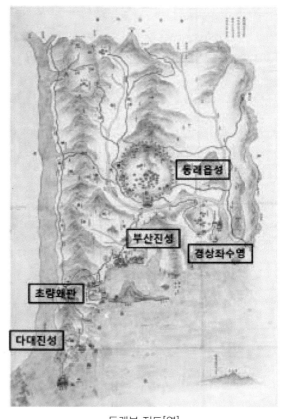

동래부 지도[역]

동래부 정관청[역]

동래읍성[역]

동래읍성 인생문[역]

 식민지 도시 부산을 폭넓게 개발하는 데 걸림돌은 동래읍성을 지키는 성곽이었다. 새롭게 들어선 동래 남문역을 기점으로 도로와 철길을 마련하기 위해 우람한 세병문부터 철거되었고 동헌(東軒) 건물과 여러 객사가 사라지거나 옮겨야 하는 수난을 당했다.

 조선 초기만 해도 부산은 좌천동 부근의 작은 포구 마을에 지나지 않았다. 1407년(태종7년) 왜구의 노략질을 막는 대신 무역을 활성화하기 위해 부산포에 왜관을 설치했다.

 세종 때에는 부산포에 거주하는 왜인 가구가 60여 호였으며 왕래하는 장사꾼이 6천여 명에 이르렀다.

강화도조약에 따라 개항

1876년 강화도조약에 따라 부산은 원산, 인천과 함께 개항되었으며, 개항 당시만 해도 사람이 모여 살던 곳은 관청이 있던 동래와 좌천동 초량동 일대였으며 기타 지역은 띄엄띄엄 어민들의 초가 몇 채가 있었을 뿐이다.

동래의 변방이었던 부산이 중구와 동구 중심으로 개발을 지속함으로써 원(原)도심이 되고 동래가 오히려 변방으로 밀려나고 말았다. 일제가 부산포를 중심으로 특단의 개발정책을 쓰지 않았다면 지금의 부산은 동래직할시에 소속된 신도시에 불과했을지도 모른다.

부산이라는 이름이 맨 처음 등장하는 것은 1402년 태종실록이며 부산(富山)으로 표기되어 있다. 세종실록에는 동래부산포(東萊富山浦)로 기록되어 있으나 성종실록부터 부산(釜山)으로 바뀌었다. 좌천동 금성고등학교 뒷산인 증산(甑山)이 마치 가마솥 시루 같다고 해서 붙여진 이름으로 알려지고 있다. 그런가 하면 부산은 예로부터 바닷물을 가마솥에 끓여서 좋은 소금을 만들었으므로, 해

동래부산포 지도[역]

안가 모래사장마다 소금가마가 들끓고 있는 마을이 되었을 것이다.

조선의 제1 간선도로인 영남대로는 동래읍성 남문에서 시작하여 양산, 밀양, 청도, 대구, 칠곡, 상주, 문경, 충주, 안성, 용인을 거쳐 남대문에 이르는 380km 지름길이기에 요즘의 경부선보다 60km나 짧다. 건장한 사람이 동래에서 한성까지 걸으면 보름 정도 걸렸다.

간선도로에는 30리 거리마다 참(站)이라고 하는 역(驛)이 있었으며 첫 번째 역은 금정구 하정마을의 소산참이고, 그 다음이 물금의 황

접왜사도와 연향대성[원]

산참이다. '한참'이라는 말은 역과 역 사이의 12km정도 거리를 뜻한다. 영남대로 중에서 동래에서 밀양까지는 황산도(黃山道)라는 별도의 이름을 갖고 있었다.

동래부사의 초량왜관 행차 길은 읍성 남문을 나와 세병교, 교대역, 하마정, 송공삼거리, 서면, 광무교, 부산진시장, 좌천동 정공단, 고관입구, 상해거리, 봉래초등학교, 광일초등학교까지의 13km 거리다.

동래는 고려 시대부터 조선 전기까지 행정단위가 현(縣)이었기에

종5품의 현감이 부임해왔으나 임진왜란 무렵부터 동남해안 국경수
호의 군사적 요충지요, 일본과의 외교업무를 전담했던 곳이라 부(府)
로 승격하고 당상관인 정3품이 동래부사로 내려왔다.

　조정에서도 "동래부사는 아침저녁으로 일본인을 접촉해야 하므로
재주가 민망하고 사리가 밝은 사람을 특별히 선임해야 한다."는 기
록이 있다. 동래부는 왜관을 상대해야 하므로 관아 건물도 규모가 크
고 위용을 갖추었다.

증산공원과 증산왜성[원]

조선정부는 유일한 적국인 일본에 대한 모든 정보를 동래부사에 의
존했기에 신경을 쓰지 않을 수 없었다. 실제로 1666년 9월 4일 하멜
일행 8명이 목선을 타고 여수에서 일본으로 탈출했는데 마침 업무
차 대마도에 간 역관 김근행이 이 소식을 동래부사에게 전했으며, 동
래부사는 화급히 장계를 올려 현종에게 이를 보고했다. 그러나 막상

증산전망대와 부산항 전경[원]

이들을 관리하던 여수의 전라좌수사 정영은 두 달 동안 탈출을 까마 득하게 모르고 있었다.

동래부사는 매일 관료들을 데리고 객사에 가서 먼 곳에 있는 임금에게 절을 올리는 망궐례(望闕禮)를 행하고 동헌의 충신당에서 업무를 시작했다. 두모포왜관과 초량왜관 272년 동안 203명의 동래부사가 부임했지만 평균 1년 6개월 근무에 그쳐 제 임기를 채우지 못했다. 대부분 뇌물이나 근무태만, 일본정세의 허위보고 등으로 징계를 받았기 때문이다. 동래의 관리들은 일본인들과 적당한 거리를 유지해야 하는 '불가근불가원' 원칙을 고수했다.

왜관 드나드는 역관들의 치부

업무상 왜관을 수시로 드나들 수 있었던 역관들은 국가에서 금지하

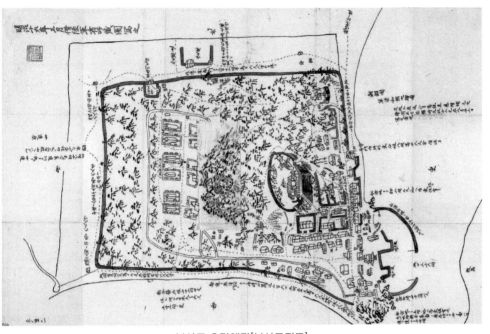
부산포 초량왜관[부산고지도]

는 물품의 밀거래를 통해 큰돈을 버는 경우가 많았다. 더러는 일본에 매수되어 기밀사항을 누설하는가 하면 국익을 저버리는 일도 서슴지 않았다. 조선시대 역관은 사역원의 왜학청에서 상당기간 공부한 사람을 조정에서 검정평가한 후 왜관에 파견했는데, 초량에서 홀로 지내던 역관 박재흥은 임기가 끝나자 가족을 모두 부산으로 데려왔으며 동래에 첩을 두고 호화생활을 누렸다.

숙종의 빈이자 경종의 생모인 장희빈(장옥정)이 나인으로 궁에 들어가서 신분상승과 함께 고속 출세할 수 있었던 것은 역관 집안의 든든한 자금줄 덕분이었다. 장옥정의 인동장씨 집안은 30여 명의 역관이 있었으며 역관 시험에서 수석 합격자도 7명이나 나왔다. 일찍

왜관도[역]

부모를 잃은 조카 장옥정을 데려다 키운 장현은 역관의 우두머리인 수역(首譯)으로서 조선 굴지의 거부였다.

장현은 소현세자를 모시고 6년 간 심양에 볼모로 가 있었던 인연 덕분에 인삼 50수레를 밀반출하다 발각되었으나 아무런 처벌도 받지 않았다. 장현이 역모 혐의로 옥살이할 때 중국인들이 즐기던 투전패를 한국식으로 만들었는데, 오늘날 화투의 원조인 셈이다.

1860년대 부산 최고 갑부는 왜관에서 일본어 통역을 맡았던 희빈 장씨 외가 출신 역관 변승업. 그는 사별한 아내의 장례를 치르면서 왕실에서만 사용할 수 있는 옻칠 황장목(黃腸木)의 최고급 재궁(梓宮)에 시신을 입관하여 말썽이 되었으나 10만금의 돈으로 주변을 입막음함으로써 아무도 문제 제기를 하지 않았다.

박지원의 소설 〈허생전〉에서 허생에게 돈을 빌려주는 장안의 최고 부자 변윤영은 변승업의 조부인 변계영이 모델이다. 6형제가 모두 역관이었던 변승업은 초량왜관 근무시절 청나라와 일본의 중계무역 알선으로 큰돈을 벌었다.

1864년에는 그가 대마도주(對馬島主)로부터 뇌물을 받은 죄로 동래부사 소두산과 함께 의금부에 투옥되기도 했다.

동래읍성은 동헌과 객사 등 핵심 관청을 보호하기 위한 것인 데 비해, 동래산성은 금정산 능선을 따라 외곽지역을 보호하기 위해 축성한 것이다. 일제강점기 시대, 동래를 제외한 부산에는 한국인보다 일본인이 더 많이 살기도 했다.

싸워 죽기는 쉬워도 길을 내주기는 어렵다

임진년 1592년 4월 13일 조선정벌의 선두인 고니시 유키나가(小西行長)는 병선 700여 척과 18,700명의 대군을 이끌고 안개 짙은 새벽을 틈타 우암동에 상륙했다.

그는 우선 부산첨사 정발이 지키던 부산진성을 무너트리고 다대첨사 윤흥신을 차례로 함락시킨 다음날 동래성에 와서 "싸우고 싶으면 싸우고, 싸우기 싫으면 길을 비켜라."고 요구했다. 이에 송상현 동래부사는 "싸워 죽기는 쉬워도 길을 내주기는 어렵다."면서 갑옷 위에 관복을 입고 임금께 4번 절한 후 장렬히 순직했다.

당시의 상황을 기록한 〈선조실록〉을 보면 "적선이 바다를 덮어오니 부산첨사 정발은 마침 절영도에서 사냥을 하다가 조공하러 오는 왜라고 여기고 대비하지 않았는데, 미처 부산진성에 돌아오기 전에

충렬사[VB]

적이 먼저 성에 올랐다. 정발은 적과 대적하다 죽었다. 이튿날 동래
부가 함락되고 부사 송상현이 죽었다. 그의 첩도 죽었다."라고 간단
히 묘사하고 있다.

외침으로 수난을 당할 때마다 충신과 열사로 목숨을 바친 의인이
많았기에 우리나라 곳곳에 충렬사가 있지만, 송상현 동래부사의 시
호도 충렬이며 동래 충렬사 편액은 인조 임금이 직접 내려준 것이다.
송공단, 정공단, 윤공단 같은 충절 유적이 보여주듯이 부산은 나라를
구한 충렬의 도시다.

조선의 최전선인 부산진성과 동래읍성이 무너지는 처절한 현장을
생생하게 그린 부산진순절도와 동래부순절도는 보물 391호와 392
호로 지정되어 있다. 동래의 참혹한 피해 현장을 수습하고 무너진 성
곽을 복구하는 데 140년 이상의 시간이 걸렸다. 동래성곽 주변의 해
자에는 물 대신 해골이 가득했으며, 온 식구가 멸족한 가정이 많아서

송공단[원]

기일이 다가와도 곡소리조차 들리지 않는 유령의 마을이 되었다. 지난 2005년 부산도시철도 4호선 수안역 공사장에서 동래성 전투 당시의 유골과 각종 유물이 다수 발견되기도 했다.

매년 열리는 '동래읍성역사축제'에서는 동래부사와 동래읍성민의 결사항전 장면을 재현한 뮤지컬 〈외로운 성〉 공연과 동래부사 행차 길놀이, 옥사, 호패, 엽전으로 동래장 보기 등 조선시대의 역사 체험을 할 수 있다.

임진왜란 10년 전부터 조선과 중국 침략을 획책하던 도요토미 히데요시(豊臣秀吉)에게 그나마 유일하게 제동을 건 사람은 고니시 유키나가의 사위인 대마도주 소 요시토시(宗義智)였다. 대마도는 조선과의 교역에 의존해야 했기에 소 요시토시의 간절한 주선으로 1590년 말 조선은 일본의 전국통일 축하사절단인 정사 황윤길, 부사 김성일, 서장관 허성 등을 일본에 파견했다.

송상현 광장[역]

이때 도요토미 히데요시는 조선 사절단이 항복하러 찾아온 것으로 착각하고 "조선이 명나라 공격의 선봉에 서라."는 내용의 정명향도 (征明嚮導)를 답서로 건네주었다.

사절단 일행이 교토를 떠날 무렵 도요토미 히데요시는 조선 침략의 거점으로 히젠에 나고야성(名護屋城)을 짓기 시작했다. 그는 천황을 북경에 이주시키고 자신은 절강성 닝보(寧波)에 머물면서 인도까지 정복하겠다고 호언장담하고 있었다.

이듬해 1월 28일 부산포에 도착한 이들 일행은 이 문서를 왕에게 전달할 면목이 없어서 고민에 빠졌는데, 대마도 측의 제안으로 "명나라로 가는 길을 빌려 달라."는 내용의 가도입명(假途入明)으로 바꾸었던 것이다. 서인 계열인 정사 황윤길이 일본침략을 우려하는 보고를 한 반면, 동인 계열인 부사 김성일은 침략에 동감하면서도 민심

부산진 순절도[역]

의 안정을 이유로 침략 의도가 없다고 거짓 보고했다. 왕과 집권세력
은 김성일의 말에 무게를 두었다. 당시 부산에서 일본사신 영접 일을
맡고 있던 청백리 선위사(정3품) 오억령(吳億齡)만이 일본의 대규모
침략 정보를 조정에 계속 보고하자 선조는 괜히 세상을 시끄럽게 한
다면서 그를 파직시켰다.

　조선을 지원하기 위해 파견 나온 명나라 군(軍)이 전투 대신 일본
과의 강화협상을 벌이는 4년여 동안 부산, 울산을 비롯한 경상도 일
대는 일본군이 성을 쌓고 온갖 노략질을 자행했으며 명군의 횡포도
만만치 않아 이중의 고통을 받았다.

동래부 순절도[역]

六年春三月甲申以下校縣將軍元奉寫元
尹　辛丑命旨城將軍城達與其弟伊達端
林來附　夏六月癸未福府卿尹賀使梁還
獻五百羅漢畫像命置于海州嵩山寺　癸
巳吳國文士朴巖來投　秋八月壬申碧
珍郡將軍良文遣其甥圭奐來降拜圭奐元
尹　冬十一月戊申眞寶城主洪術遣其子
王立獻鎧三十拜王立元尹
七年秋七月甄萱遣子須彌康良劍等來攻
曹物郡命將軍哀宣王忠救之哀宣戰死得
人固守須彌康等失利而歸　八月甄萱遣
使來獻絕影島驄馬一匹　九月新羅王昇
英薨其弟魏膺立來告喪王興哀設齋追福
遣使弔之　是歲創外帝釋院九耀堂神衆
院　八年春三月辛西京　秋九月丙申渤海將
軍申德等五百人來投　庚子渤海禮部卿
大和鈞均老司政大元鈞工部卿大福譽左

견훤이 왕건에게 절영도 말을 선물했다는 고려사 기록[역]

1601년 원한에 찬 동래부는 납치된 조선인들의 송환 협상을 위해 건너온 일본 사절단의 숙소를 부산포에 둘 수 없다고 하여 절영도(絶影島)로 내몰았다. 지금의 영도인 절영도는 신라 때부터 말 사육장이었으며 절영은 '그림자도 못 따라올 정도로 말이 빨리 달리는 곳'이라는 뜻이다.

　　영도를 말의 목장 섬이라고 하여 목도(牧島)라고 부르기도 했다. 신라 성덕왕이 삼국통일 대업을 이룬 김유신의 손자 김윤중에게 "절영산 말 한 마리를 하사했다."는 기록이 『삼국사기』에 나온다.

200여 년의 일본인 전용마을 왜관

　　왜인들에게 조선과의 무역 길을 열어줌으로써 왜구의 해안 약탈을 막고 왜인들을 적절히 통제하기 위해 설치한 일본마을(니혼마치. 日本町) 왜관은 조선 초기부터 시작되었다.

　　부산 강서구 녹산동의 동래정씨 집성촌이었던 구랑마을에는 왜관을 나타내는 수참(水站)이라는 기록이 있다. 중종 5년에는 왜관의 일본인들이 대마도와 합세하여 부산첨사를 살해한 후 동래부사를 인질로 잡고 주변을 약탈한 적도 있었다.

　　절영도의 임시 왜관에 있던 일본 사절들은 업무 차 자주 왕래해야 하는 동래와 거리가 너무 멀고 누추하다고 하여 입주를 꺼리며 불평하므로 5년 후에는 수정동인 두모포(豆毛浦)에 새로운 왜관을 마련해주었다. 일본인들의 거주 불편을 해소하기 위해 일본인 목수를 직접 불러 다다미방과 후스마 문을 갖춘 일본식 건물을 지었다. 지금의 동구 수정동 동구청 주변이 두모포왜관 자리이다.

서관

초량왜관 서관 & 현재[원]

　그 후 교역이 확대되고 일본인 거주자가 늘어남에 따라 조차지를 초량지역으로 확장해서 옮기게 되자 두모포왜관은 옛 왜관이라고 하여 고관(古館) 또는 구관(舊館)이라는 이름으로 불리게 되었다.

　새롭게 마련한 초량왜관은 두모포왜관의 10배가 넘었으며, 일본이 나가사키에 개설한 네덜란드 상관(商館) 데지마(出島)의 20배나 되는 일본인촌이었다. 용두산공원이 초량왜관 내부의 동산에 불과했으니 그 규모를 짐작할 수 있다.

　1678년 4월 두모포에 거주하던 489명의 대마도 출신 일본인들이 초량왜관으로 이사를 한 후 부산이 강제 개항할 때까지 왜관은 200여 년간 조선 속의 일본인 전용마을이 된 것이다.

　2세기 동안의 외국인 전용마을은 세계에서 유례를 찾을 수 없는, 조선 조정의 햇볕정책이었다. 일본은 조선인 마을을 마련해준 적이

왜관도 중 동관[역]

한 번도 없었기 때문이다.

임진왜란 후부터는 왜관에 가족 동반이 허용되지 않아서 왜관은 일본인 성인 남성만 사는 동네로 바뀌었다. 공무가 아니고는 일본인들의 바깥출입이 금지되었으며 특별히 허락을 받을 경우 근처 구덕산이나 동래 금정산 나들이가 고작이었다.

왜관의 일본인이 사망했을 경우 대마도 선산으로 이장하는 경우도 있기는 하지만 대부분 북쪽의 복병산에 묻혔다.

남성여고가 위치한 아미산 자락의 복병산은 초량왜관 안에서 일어나는 일본인들의 풍기문란이나 밀무역을 감시하기 위해 병사가 숨어서 지켜보는 초소 복병막(伏兵幕)이 있었기에 붙여진 이름이다.

왜관도(초량)[역]

복병산배수지와 성지곡수원지

1910년에 준공된 복병산배수지는 한국 근대 상수도 시설의 원형답게 "신선이 사는 마을의 우물은 마르지 않는다."는 '요지무진(瑤池無盡)'이라는 글귀가 돌판에 새겨져 있다. 110여 년 전 부산 최초의 상수도시설인 성지곡수원지와 복병산배수지가 들어섬으로써 부산이 근대도시의 면모를 갖출 수 있었던 것이다.

성지곡수원지는 1971년 부산어린이대공원으로 바뀌어 '마시는 물'에서 '보며 즐기는 호수'로 변해 버렸지만 아직도 공원보다는 성지수원지가 더 친숙하게 들린다. 성지곡은 신라의 유명한 지관 성지(聖知)가 찾아낸 명당이라서 붙여진 이름이다.

일제는 높이가 27m나 되는 우리나라 최초의 콘크리트 댐인 성지

복병산배수지[역]

복병산길 일본식 가옥 [원]

부산기상관측소(배 모양) [원]

성지곡수원지(부산진구 홈페이지)

수원지를 축조하면서 '음수사원(飮水思源)'이라는 글귀를 새겨두었다. "물을 마실 때는 그 샘을 판 사람을 생각하라."는 뜻이므로 일제가 근대화 시설을 부산에 베풀어주었으니 그 은공을 잊지 말라는 자부심을 내비친 것이라 하겠다.

도심 속 복병산의 고즈넉한 산책로를 따라 정상으로 올라가면 1934년에 세워진 기상관측소가 있다.

항구도시를 연상케 하는 배 모양의 르네상스 풍 관측소 건물은 부산시 기념물 제51호로 지정되어 있다.

왜관 정문 앞에는 매일 아침 식재료를 파는 새벽장이 섰는데, 일본인 남성 고객들은 조선의 젊은 여인들이 파는 물건에만 관심을 보였으며 더러는 당장 필요하지 않은 상품에 오히려 웃돈을 얹어주기도 했다. 물건을 팔러 나가는 상인도 남성에서 여성으로 바뀌기 시작했다. 마침내 시장을 드나들던 조선 여인들의 매춘사건까지 일어났으며, 동래부사 권이진은 '어물과 채소를 파는 장마당이 아니라 아내와 딸을 파는 난전'이라며 관원들에게 대책을 강구하도록 했다.

『숙종실록』에는 "요즘 부산포 왜관 주변에 왜산(倭産)이 많다."는 기록이 나온다. 왜산은 일본인 자녀를 지칭하는 말이다. 한때는 아침 시장인 조시(朝市)에 남자들만 물건을 팔러 나가게 하고 왜관의 담장도 높였으나 양국 남녀 간의 교간(交姦)사건은 멈추지 않았다. 동래부에 살던 어부동이라는 사람은 왜인이 자기 아내와 간통한 사실을 알고 그 왜인을 죽여 바다에 버린 일도 있었다. 1690년에는 이명원이 자신의 딸과 여동생을 남자로 변장시켜 왜관에 몰래 들여보낸 일이 발각되어 관련자 5명이 효수형을 당하고 2명은 감옥사하는 사건이 발생했다(숙종실록). 동래부는 교간 당사자인 일본인들도 같은 수준의 형벌을 요구했으나 일본은 본국 소환으로 마무리하는 데 그쳤다. 하기야 데지마 상관에 파견된 네덜란드 의사와 게이샤 사이에 태어난 딸 쿠스모토 이네(楠本イネ)가 일본 최초의 산부인과 의사인 것으로 보아 조선과는 윤리의식이 달랐던 것이다.

일제는 자신들의 선조가 살았던 두모포왜관에 공원을 조성하고 왜관의 초량 이전을 주도한 쓰이에 효고(津江兵庫)의 기념비를 두모포와 용두산공원 양쪽에 세웠다. 일제강점기 부산의 대표 기업가였던 오이케 츄스케(大池忠助)는 고관공원(古館公園) 조성에 거금을 희사하고 1928년 6월 17일 공원 안에 자신의 동상 제막식도 가졌으나 2년 후 사망했다. 지금도 이곳을 그의 이름을 따서 '대지공원'이라고 기억하는 사람들이 있다.

초량왜관 근처에는 일본 사절이 조선 국왕에게 큰절을 올리는 초량객사가 있었다. 지금의 코모도호텔이 있는 언덕 양쪽으로 왜관과 객사가 자리 잡았던 것이다.

객사 근처에는 통역관을 비롯한 조선인 마을이 있었는데 역관을 만난다는 핑계로 왜인들이 수시로 드나들었다. 금지된 상거래는 물론 조선 여인들과 은밀히 만나는 일까지 일어나곤 했다.

일본인들과의 불미스런 사건이 사회문제가 되자 왜관에 거주하는 일본인들의 바깥출입을 금지하기 위해 동래부는 수문 밖에 긴 담장을 쌓고 민가를 전부 이주시켰다. 1683년에는 왜관 출입문인 설문(設門) 입구에 약조제찰비를 세우고, 그 1조에 '크고 작은 일을 막론하고 왜관 경계 밖을 나오는 자는 사형에 처한다.'라고 기재했으나 왜관 밖으로 나다니는 闌出(난출)사건이 끊이지 않았다. 현종 4년(1663년)에는 왜관을 벗어나 마음대로 다니는 왜인을 꾸짖던 통역관 김달이 살해당하자 동래부가 강력히 항의하여 그 왜인이 참수당하는 형벌을 받기도 했다.

그렇다고 부산이 왜관을 적대시한 것은 아니다. 1671년 11월 16일 밤 초량왜관에 큰 불이 나자 부산첨사 이연정이 병사를 거느리고 진화에 나섰다. 세찬 바람에 볏짚지붕의 집들이 거의 잿더미로 변하고 왜선 7척도 소실되었으며 왜인들은 속옷 만 걸치고 뛰쳐나왔다. 동래부가 쌀 2백 석과 무명 10동을 구호품으로 전달하자 왜인들은 본국에 고마움을 알리고 몇 차례 감사의 뜻을 전해왔다.

왜관을 벗어나는 월경죄 다음으로 밀수죄에도 사형을 고시했다. 실제로 일본의 은을 받고 우리 쌀을 몰래 넘겨준 손기, 김종일, 추선봉은 사형을 당했으며, 이를 도와준 역관과 군관은 서북으로 유배를 당한 사건도 있었다. 당시의 객사 자리는 부산재판소, 부산개성학교(개성고등학교 전신)를 거쳐 오늘의 봉래초등학교가 차지하고 있다. 그러나 오늘날 초량왜관에 대한 흔적은 용두산공원에 오르는 194개의 마지막 계단 옆에 조그만 표지 비석밖에 없다.

초량왜관은 출입이 엄격히 규제되는 가운데서도, 명치유신 4년 후인 1872년 일본사절단 50여 명이 천황의 서찰을 우리 조정에 전달하기 위해 동래부사 면담을 요구하며 무단이탈했다.

초량에서 동래부까지 30리 길을 동래부 관헌들의 저지로 실랑이 끝에 4일 만에 도착했으나 중국만이 쓸 수 있는 '황상(皇上)'이라는 칭호를 일본이 사용하는 것에 대해 조선 조정은 도저히 받아들일 수 없었기에 동래부사는 면담을 끝내 거절했다. 사절단은 동래성 밖에서 5일간 기다리다가 빈손으로 되돌아가야 했다.

원래 평양감사와 동래부사는 조선 관리들이 가장 선호했던 노른자위 벼슬이었지만, 그만큼 시샘과 부정부패가 많아 동래부사의 재임 기간은 평균 1년 남짓에 불과했다. 그런 중에도 7년이라는 최장기로 봉직하고 있던 정현덕 부사는 일본인들의 일탈행동을 막지 못한 죄로 파직과 함께 귀양길에 올랐다. 국체가 바뀐 일본의 국서를 거부한 이른바 서계(書契)사건이 일어난 직후부터 일본 조정에서 조선을 정복하자는 정한론(征韓論)이 최초로 공식 대두되었다.

그 무렵 사절로 조선을 다녀간 일본 외무성 관리 사타 하쿠보(佐田伯茅)는 "2개 연대만 있으면 조선땅 정복할 수 있다."고 겁박하기 시작했다. 일본 전역에 정한론의 광풍이 일어나자 사쓰마번 출신 양심적 지사인 요코야마 야스다케(横山安武)는 사타 하쿠보를 맹비난하면서 정한론을 반대하는 건의문을 집의회에 제출한 다음 1870년 8월 22일 할복자결로 조선침략에 항의했다. 러일전쟁에 따른 일본의 조선점령이 본격화되자 니시자카 유타카(西坂豊)라는 27세 청년은 현해탄을 건너와서 이토 히로부미에게 조선침략의 부당함을 호소했으나 아무런 반응이 없자 1906년 12월 6일 서울 종로구 운니동 시라누이 여관에서 할복자살했다.

일본 근대화의 아버지격인 요시다 쇼인(吉田松陰)은 "서구열강에 빼앗긴 국부(國富)를 만회하고 식민지가 되지 않기 위해서는 우리가 주변 나라를 먼저 차지해야 한다."면서 침략대상으로 홋카이도, 류쿠, 대만, 조선, 만주, 몽골, 중국을 꼽았다.

메이지 유신으로 권력을 장악한 요시다 쇼인의 제자들은 스승이 알려준 순서대로 정벌에 나섰으며, 정한론을 충실히 이행한 사람이 막내 제자 이토 히로부미이다.

1859년 10월 요시다 쇼인이 국사범으로 효수 형벌을 받았을 때 아무도 감히 근처에 가지 않았는데, 18세 소년 이토 히로부미는 목이 잘린 스승의 시체를 안고 "선생님 유지 제가 잇겠습니다." 하면서 몰래 시신을 수습해주었다. 아베 신조도 2012년 총리로 선출되자

1910년대 초량 일대[역]

용두산-권기학 [VB]

제일 먼저 요시다 쇼인의 무덤을 찾아가서 "쇼인의 말씀대로 1천만
명이 반대하더라도 나의 길을 가겠다."고 다짐했다.

초량왜관의 흔적들

초량왜관은 용두산을 기점으로 행정 집행부인 동관과 상업지역인
서관에 각각 큰 건물인 대청(大廳)이 있었기에 이 지역을 대청동이라
고 한다. 부산의 원도심인 광복동은 원래 일본인들이 개발한 일본인
전관 거류지였으나 해방 후 '빛을 되찾았다.'는 뜻으로 새롭게 붙인
이름이다. 일본인들은 길이 길게 뻗어 있다고 하여 이곳을 장수통(長
手通)이라고 했다. 왜관의 동대청과 서대청 사이의 개울인 변천을 복
개해서 기다란 길이 생겼던 것이다. 이곳은 주거인구보다 유동인구

대청로의 일본식 건물[원]

가 많아지면서 부산의 대표적인 상업지역으로 발전했다.

　장수통 양편으로 즐비하게 들어선 일본식 상점 입구마다 햇빛 가리개이면서 가게의 브랜드를 상징하는 노렌(暖簾)이 펄럭거렸으며 일본식 축제인 마쓰리가 펼쳐지기도 했기에 '부산의 긴자'라고 칭하기도 했다. 1910년 우리나라 최초로 상점들이 연합해서 연말 바겐세일을 시행했던 곳도 장수통이다.

　패션을 선도하는 장수통에는 3층짜리 유명 포목점 미나카이(三中井) 오복점(吳服店)이 인기상점인 데다 외양도 돋보였다. 1916년에는 전등이 들어와 야간영업이 가능했고 이듬해에는 전차가 부설됨으로써 화려한 불야성의 쇼핑거리가 되었다. 1930년대 후반에는 미나카이 오복점이 장수통 입구에 6층짜리 미나카이 백화점을 세워 쇼핑천국을 만들었다.

대청동 거리[원]

40계단[원]

왜관의 중심은 동쪽의 동관이었으며 이곳을 혼마치(本町)라고 불렀다. 지금의 동광동은 동관에서 유래한 지명이다. 초량왜관 150여 건물 중 핵심은 왜관의 우두머리인 관수의 숙소인 관수옥(館守屋)이다. 부산 최초의 서양식 건물인 관수옥은 한동안 일본영사관을 거쳐 1914년부터 23년 동안 부산부청으로 사용되었다. 부산부청은 1936년 지금의 롯데백화점 광복점 자리로 확장 이전했다. 초량왜관 터에서 유일하게 흔적이 남아있는 것은 관수가에서 봉수대를 거쳐 용두산공원으로 향하는 돌계단이다.

10만 평이나 되는 일본인 전용도시 초량왜관을 조성하는 데 3년간 조선인 목수 1천 명을 포함하여 총 125만 명의 인원이 동원되었다. 건물을 짓거나 수리하는 것을 일본어로 영선(營繕)이라고 하는데, 왜관 건축과 수리를 위해 자재를 갖고 오르내리던 고갯길을 지금도 영선고개라고 부른다. 이곳에는 원래 해발 40m 정도의 두 봉우리가 있는 영선산(瀛仙山)이 있었는데 일본매축회사는 봉우리를 허물어 평지를 만들면서 그 토사로 해안을 메워 일석이조의 효과를 보았다. 영선산 착평공사로 인해 용두산 주변의 일본 거류지와 초량의 조선인 마을 사이 경계가 사라지고 부산역과 국제연안부두로 내려가는 40계단이 조성되었다.

영주시장에서 대청동 코모도호텔로 넘어가는 1.1km의 영선고개는 6.25 때 상륙한 유엔군이 부산에서 최초로 아스팔트 포장을 한 곳이기에 유엔도로 또는 유엔고개라고도 한다.

쇄국과 망국의 길

일본은 왜관을 통해 조선 구석구석을 꼼꼼히 탐색하고 연구하면서 각종 정보를 빼갔다. 1610년 10월 경상도 일대를 순행했던 암행어사 윤계는 "두모포왜관이 조선수군의 배치를 훤히 엿보고 있으며, 조선말을 잘하는 일본인들이 많아 국가기밀이 모두 새나간다."고 인조에게 상소를 올린 바 있다. 왜관은 조선 침략의 전초기지이자 일본의 첩보기관이었던 것이다.

심지어 조정의 관보인 조보(朝報)를 팔아넘기는 사람이 있어서 우리의 국가기밀을 왜인이 먼저 알고 있는 경우도 있었다. 그러면서 우리 조정은 여전히 그들을 '왜놈'이라고 비난하며 일본을 배척하고 무시하는 쇄국정책을 이어왔다. 임진왜란의 실상을 종군기자처럼 생생하게 기록한 류성룡의 『징비록』을 일본은 번역해서 열심히 읽고 있는데, 조선왕조는 이를 금서(禁書)로 멀리했던 것이다.

16세기 대항해시대를 거치면서 바깥세상이 엄청나게 변하는데도 눈을 가리고 중국의 성리학에만 의존했던 조선은 신무기가 저절로 굴러들어오는 절호의 기회조차 번번이 외면했다.

명종 10년인 1555년 5월 초 대마도주 가문의 후손인 타이라노 나가치카(平長親)가 조총(鳥銃) 한 자루를 들고 부산을 찾아와 귀화했다. 군국기구인 비변사는 날아다니는 새를 떨어뜨린다고 하여 이름을 얻은 조총의 성능을 확인한 후 사찰의 낡은 범종을 녹여 총을 만들자고 조정에 건의했으나 왕은 끝내 받아들이지 않았다. 치맛바람 거센 명종의 어머니 문정왕후가 불교에 심취하여 반대했기 때문이다. "오래된 것은 무언가 영험한 효능을 갖고 있으니 사찰에 손대지 마라."는 것이 수렴청정(垂簾聽政)하던 문정왕후의 엄명이었다.

임진왜란 3년 전에도 대마도주 소 요시토시가 훨씬 성능이 개선된 조총을 갖고 동래 부산포를 찾아왔다. 이때 군부에서는 다시 철포 제조를 간청했지만 조정은 계속 외면하면서 그 귀한 선물을 비변사 무기창고에 방치했다. 임진왜란 당시 조선의 전설적인 명장 신립이 탄금대에서 왜군의 신무기에 참패를 당하자 선조는 궁궐과 백성을 버리고 도주해야 했다. 경상·충청·전라 3도의 군을 지휘하던 삼도순변사 신립은 어이없는 참패를 당하고 "전하를 뵈올 면목이 없다."면서 달천에 빠져 죽었다. 활이나 창, 칼 등 재래식 무기로 일본의 신무기 철포에 대항하는 것은 너무나 무모했기 때문에 철포 없이 싸우는 '무뎃뽀(無鐵砲)'라는 말이 나온 것도 이 무렵이다.

그나마 다행이었던 것은 전란 7일 만에 철포부대 선봉장이었던 사야가(沙也可)가 부하 5백여 명을 이끌고 경상도병마절도사 박진에게 투항, 귀화함으로써 조선에도 조총부대가 창설되고 왜적을 물리치는 데 많은 공을 세웠다. 특히 울산성 전투에서 사야가는 과거 자신의 지휘관이었던 가토 기요마사 군대를 섬멸했다. 평소 학문과 도덕을 숭상하는 조선의 선비문화에 부러움을 갖고 있었던 사야가는 무고한 어린이와 부녀자를 학살하는 전쟁에 회의를 느낀 데다, 백성들이 늙은 부모를 등에 업고 피난 가는 모습에 큰 감명을 받아 항왜(降倭)가 되었다고 한다(조선왕조실록).

선조는 사야가에게 정2품의 정헌대부 벼슬과 "바다를 건너온 모래가 금이 되었다."는 뜻으로 김해김씨의 김충선(金忠善)이라는 이름을 하사했다. 대구시 달성군 가창면 우록의 녹동서원에 모셔져 있는 김충선은 오늘날도 한일(韓日) 우호협력의 아이콘으로 추앙받고 있다.

조총(鳥銃)의 내력과 인삼 밀거래

1543년(중종 38) 8월 일본 가고시마 남쪽 다네가시마(種子島) 도주 도키다카(時堯)는 표류해온 선박의 포르투갈 선원으로부터 조총 두 자루를 거액에 구입하여 하나는 무로마치 막부에 기증하고 나머지 하나는 유명 대장장이 야이타 기요사다(八板清定)에게 주면서 복제품을 만들도록 지시했다. 넉 달 후에 가져온 복제 총기는 성능이 크게 떨어졌다. 나사가 문제였던 것이다.

이 대장장이는 어린 딸을 포르투갈 상인에게 시집보내서 기술을 배워오도록 했다. 일본 최초의 국제결혼이자 산업 스파이로 파견된 딸 아카사는 마침내 암수 나사의 제조기술을 터득하여 친정에 알려줌으로써 이듬해부터 '사쓰마 뎃뽀'라는 화승총을 생산할 수 있었다. 오다 노부나가(織田信長)나 도요토미 히데요시, 도쿠가와 이에요시(德川家康)의 전국통일은 전적으로 조총의 힘이었다. 임진왜란 때 다네가시마 도주 도키다카의 아들 히사도키도 대량 생산된 신무기 조총을 들고 우리나라에 쳐들어왔다.

1718년 대마도주로부터 허준의 『동의보감』 25권을 헌상(獻上)받은 일본 8대 쇼군 도쿠가와 요시무네(德川吉宗)는 그 책에 등장하는 모든 동식물을 조사토록 하는 한편, 일본에 없는 약초 모종은 초량왜관을 통해 밀반출하기 시작했다. 약재 중에서도 가장 큰 관심은 조선 인삼이었으며 밀수작전의 사령탑은 대마도가 담당했지만 반출이 쉬운 일이 아니었다.

조선국왕의 명을 받아 에도의 막부 쇼군을 방문하는 외교관을 통신사라 하고 예조가 정보탐색과 실무협상을 위해 역관으로 구성된 외교사절을 대마도에 보내는 것을 문위행(問慰行)이라고 했는데, 1721년의 문위행단 88명은 외교 업무보다도 인삼 밀반출의 돈벌이에 관심이 더 많았다. 사절단 일행이 귀국 직전 대마도 현지 거래처의 밀고로 은밀한 거래 행각이 발각되어 배 안에 숨겨두었던 금 42

냥, 은 2251냥과 팔다 남은 인삼 80근을 압수당하고 우두머리인 역관 최상집을 비롯한 사절단 일행 65명이 구금되었다.

이들은 한양의 고관들도 관여한 조직 밀수단이었으며, 결국 협상 끝에 일본이 원하는 약재 도감과 생인삼 뿌리를 제공한다는 조건으로 겨우 사면을 받고 부산으로 돌아올 수 있었다. 일본은 이때 가져간 인삼 뿌리 3개를 종자로 하여 재배에 성공함으로써 1747년에는 청나라를 비롯한 동남아까지 인삼 수출을 했다.

통신사 일행 중에도 인삼 밀매와 관련된 잡음이 끊이지 않았다. 1719년(숙종 45) 통신사 수행원이었던 역관 권흥식은 대마도에서 인삼 12근의 밀무역, 즉 잠상(潛商)행위가 발각되어 음독자살했다. 1764년 조엄의 통신사 일행으로 갔던 훈도의 우두머리 최천종은 오사카에서 몰래 인삼거래를 했던 일본인의 칼에 목숨을 잃기도 했다.

당시 일본과 중국은 국교를 맺지 않았기 때문에 초량왜관은 조선의 인삼, 중국의 생사와 비단, 일본의 은을 교역하는 동북아 최대의 중계 무역지대였다. 조선 인삼은 "죽는 사람도 살린다."는 명약으로 소문이 나서 1근에 요즘 돈 5천만 원까지 치솟기도 했으며, 인삼을 먹고 생명을 구한 사람이 인삼 빚 때문에 자살하는 사건도 있었다. 일본은 조선인삼 구매를 위한 은화를 특별히 제조했으며, 대마도주가 쇼군에 바치는 진상품에 조선인삼은 맨 윗자리를 차지했다.

왜관의 일본인들은 인삼을 주머니에 넣고 다니면서 상처를 입었을 때 씹어서 바르는 상비약으로 사용했다. 심지어 일본 본토에서는 가난한 효녀가 병든 부모를 위해 조선 인삼을 구하려고 몸을 판 일도 있었다. 동래부는 인삼의 품질을 보증하기 위해 가짜 산삼인 조삼(造蔘)을 만드는 사람에게는 사형까지 엄벌을 내렸다.

1617년 일본 규슈의 히라도(平戶)에 근무하던 동인도회사 주재원

조선통신사 축제. 김민근[VB]

리차드 쿡스는 조선의 인삼을 영국 본사에 보내면서 "이 인삼은 워낙 귀한 약이라 천황에게 진상하며, 좋은 인삼 값은 은과 맞먹는다."라고 보고한 바 있다. 영국 철학자 존 로크는 "인삼이 열병과 성병 치료제이자 강장기능을 한다."는 기록을 남겼다.

　일본으로 건너간 고려인삼은 네덜란드 상인들을 통해 유럽 귀족들에게 전해졌으며 태국의 외교사절이 프랑스 태양왕 루이 14세를 알현했을 때 바친 선물도 우리나라 인삼이었다. 조선의 인삼에 특별히 관심이 많았던 일제는 조선을 병합한 후 경성제국대학에 생약연구소를 설립하고 인삼차, 인삼정, 인삼비누를 개발했다.

초량왜관 안에도 도자기 가마

　정유재란을 두고 도자기 전쟁이라고 하듯이 평소 조선의 도자기에 눈독을 들이고 있던 일본은 초량왜관 안에 가마를 만들고 조선도공과 일본도공 공동으로 부산요(지금의 로얄호텔 자리)를 개설했다. 이 무렵 조선에서 건너간 이도다완(井戶茶碗) 1점은 일본 국보로, 3점은 중요문화재로 지정되어 있다.

78년 간 OEM 방식으로 차(茶) 사발을 비롯한 각종 도자기를 생산하면서 조선도자기 기술을 모두 습득한 데다, 조선 조정이 원료인 백토와 땔감의 무상제공을 거절하자 1717년 부산요(窯)를 폐쇄했다. 일본인 마지막 도공 책임자 마쓰무라 야헤이타(松村彌平太)는 원료 중단으로 생산이 어려워지자 1708년 자결하고 만다.

정유재란 당시 조선 도공들을 잡아간 일본 남녘의 사쓰마, 조슈, 사가의 세 번은 조선에서 천민 대접을 받던 이들을 사무라이로 승격시키면서 경쟁적으로 도자기 제품을 개발했다. 사가번은 1867년 파리 만국박람회에서 조선 도공 이삼평이 전수해준 아리타 자기를 팔아 그 돈으로 군함과 대포를 사왔다.

일본인들은 200년 이상 조상들이 살아온 초량왜관의 흔적과 조선통신사들의 의미를 찾아보기 위해 2000년 6월부터 매월 2회씩 후쿠오카에서 부산까지 왕복하는 '조선통신사 역사탐방 기행' 상품을 출시했다. 초창기에는 상당한 관심을 불러일으켰으나 막상 부산에 와서는 왜관이나 통신사 관련 유적을 찾기 어려워 실망감이 컸기 때문에 여행상품도 흐지부지되고 말았다.

2010년대에 들어 부산에서는 초량왜관연구회가 발족되어 부산시와 함께 왜관 유적지 복원 및 보존운동을 적극적으로 벌이고 있다. 부산시는 2011년 자성대공원에 조선통신사역사관을 개관했으며 10년 후인 2021년 11월에는 일본도 대마도에 조선통신사역사관을 열었다. 2017년 10월에는 조선통신사 기록물 333점이 유네스코 세계기록유산으로 등재되었다.

특히 관부연락선의 도착장인 시모노세키에는 조선통신사 상륙 기념비와 이들이 짐을 풀고 머물렀던 아미타절(후에 아카마신궁으로 변경) 등 조선통신사와 관련된 유적들이 많다.

최근에는 제주 올레길 바람이 일본까지 불자, 부산에서 이웃동네 마실 가듯이 2박 3일 주말 코스로 시모노세키 '유신의 길'을 찾는 한국인들이 많다. '유신의 길'은 조선침략을 최초로 주장한 요시다 쇼인의 수제자인 다카스기 신사쿠(高杉晋作)의 활동무대이다.

그는 게릴라부대인 기병대(奇兵隊)를 창설하여 막부 타도에 앞장섬으로써 메이지 유신의 영웅으로 칭송받아 야스쿠니 신사의 윗자리를 차지하고 있다.

조선 침략의 앞잡이 이토 히로부미, 야마가타 아리토모(山縣有朋)와 명성황후 살해를 지휘한 미우라 고로(三浦梧樓) 공사 등이 다카스기 신사쿠의 기병대 출신들이다. 일본 총리 아베 신조(安倍晋三)와 그의 아버지 아베 신타로(安倍晋太郎)의 신(晋)은 평소 존경하는 고향 선배 다카스기 신사쿠에서 가져온 이름이다.

아베 총리가 둘째 아들인데도 신조(晋三)라고 한 것은 신사쿠, 신타로에 이어 3대째라는 자부심의 표시이다. 한자 진(晋)을 풀어보면 병일(並日)이므로 "일본과 운명을 함께 한다."는 뜻이 된다. '유신의 길'을 다녀온 한국인들의 여행기에 다카스기 신사쿠를 칭송하는 내용이 빠지지 않고 들어 있는 것을 보면 요강에 담아둔 물을 마신 것처럼 어쩐지 씁쓰레하다.

한일병합 이후 1914년 일본은 총독부령으로 일본인 거주지 도시인 부산부와 전래 농촌의 동래군을 분리했다. 한정된 예산을 부산 쪽 개발에만 집중 투자함으로써 부산은 급속하게 발전하는 반면, 동래는 상대적으로 낙후한 상태로 머물렀다.

다만 일본인들의 별장이나 휴양소로 동래온천, 해운대온천, 송도해수욕장을 이용했을 뿐이다. 이들 일부 외곽지역이 부산부로 편입된 것은 1930년대 중반 이후였다.

일제강점기 신사참배 의무화

일본인들이 복을 빌거나 무사항해를 기원하는 신도 신앙의 신사(神社)가 왜관 안에 5군데나 있었으며 개항 후 7개로 늘어났다. 우리나라에 신사가 맨 처음 들어선 곳도 부산이고 신사가 가장 많은 도시도 부산이었다. 신사는 단순히 일본인들의 기복신앙이 목적이었기에 초기에는 자신들의 문화 정체성을 유지하기 위해 조선인들의 접근을 막았으나 1937년 7월 중일전쟁 무렵부터는 천황을 받드는 군국주의 구심점 역할을 하면서 조선인들의 신사참배를 의무화했다.

'황국신민'을 양성한다는 교육정책에 따라 우리의 소학교가 국민학교로 교명이 바뀐 것도 이 무렵이다. 우리나라는 1995년 광복50주년을 맞아 일제잔재를 청산하고 민족정기를 바로 세우기 위해 초등학교로 다시 이름을 바꾸었다.

전시 동원체제가 강화됨에 따라 일제는 집집마다 가정용 신사인 가미다나(神棚)를 설치하고 신도 신앙의 총 본산인 이세신궁의 부적을 모시도록 강요했다. 황국신민화 정책에 반대하는 조선인들은 이런 부적을 '왜놈 귀신'이라고 불렀다.

용두산은 해송이 울창하다고 하여 원래 송현산(松峴山)이었으나 왜관이 들어서고 나서 왜인들이 공원을 조성하면서 용두산으로 바뀌었다. 부산은 바다에서 용이 올라오는 모습이라고 생각하여, 일본은

용두산 신사[원]

용의 머리인 용두산(49m)에 용두신사를, 꼬리부분인 용미산(龍尾山. 10m)에 옥수신사를 세웠다.

옥수신사에서는 신라 침공을 주도한 다케우치노 스쿠네(武內宿禰)와 임진왜란 때 조선 정벌의 장수였던 가토 기요마사(加藤淸正)의 제사를 지냈으나, 도심 개발로 용미산과 함께 옥수신사가 없어지자 두 무장은 용두산 신사로 옮겨 합사했다. 용두산 입구에는 신사를 상징하는 커다란 도리이(鳥居)가 설치되어 있었다.

전차 승객들 용두산신사 지날 때 경례

일본인 전관 거류지의 중심인 용두산공원에서 일제는 일본군 승리를 기원하는 전승 축원회라든지, 전사자를 기리는 초혼제 등 각종 관변단체의 행사를 치렀다. 요즘은 공원 놀이마당에서 동래학춤, 수영

용두산 서쪽 일본인 거주지[역]

야류, 부산농악 등 민속잔치가 벌어지고, 때로는 비보이들의 힙합댄스 경연대회가 열리기도 한다.

해방이 되자 용두산 신사는 귀국선을 기다리는 일본인들의 집단 대기소가 되었으며, 6.25 전란 때는 피난민촌이 되었다가 수복 후에는 이승만의 호를 따서 우남공원으로 정비되었으나 4.19 후에 용두산공원이라는 이름을 되찾았다.

피난민들의 생활은 요즘 유니세프나 굿네이버스의 후원광고에 나오는 아프리카 난민들의 모습과 크게 다르지 않았다. 그러나 갈 곳 없는 문화예술인들이 답답한 도심을 벗어나려고 194계단의 공원을 오르곤 했기에 용두산을 '부산의 몽마르트'라고도 했다. 파리의 몽마르트에서 고흐나 피카소 등이 가난한 무명 시절을 보내면서 작품 활동을 했듯이, 피난시절 이중섭, 김환기, 최영림 등은 공원 주변에서

용두산공원 [VB]

그림을 그리며 고단한 일상을 보냈다.

　이 무렵 작곡가이자 가수인 고봉산이 부른 〈용두산 엘레지〉라는 노래는 "용두산아, 용두산아, 그리운 용두산아/ 세월 따라 변하는 게 사람들의 마음이냐/ 둘이서 거닐던 일백구십사 계단에/ 즐거웠던 그 시절은 어디로 가버렸나/ 잘 있거라 나는 간다, 꽃피던 용두산/ 아, 아 용두산 엘레지"로 되어 있다.

　요즘은 지하철1호선 자갈치역 1번 출구를 나와 에스컬레이터를 이용하면 용두산공원에 이른다. 대청동에서 중앙성당을 지나 용두산에 오르는 '시의 거리'에는 유치환, 박태문, 최계락, 홍두표, 조향, 손중행 등 부산에서 활동한 시인들의 시비가 세워져 있다.

　용두산공원에 오르면 부산타워와 이순신 동상, 꽃시계가 먼저 반긴다. 높이 120m의 부산타워는 경주 불국사와 부산의 등대가 합쳐진 모양의 디자인이다. 부산사람 치고 용두산공원에 올라 기념사진 한

용두산 야경. 권기학 [VB]

장 찍지 않은 사람은 없을 것이다. 가장 인기장소는 전국 18개 꽃시계 중에서 유일하게 초침이 있는 시계탑 앞이다. 항구도시답게 세계 모형 선박 전시관에는 선사시대 배부터 타이타닉 호까지 세계의 유명한 선박 70점이 진열되어 있다.

우뚝 선 부산타워 전망대에 오르면 영도가 성큼 다가서 보이고 부산의 근대사 애환이 서려 있는 자갈치시장, 국제시장, 보수동 책방골목, 영화체험 박물관, 근대역사관, 백산기념관, 한성1918, BIFF광장 등이 발아래 펼쳐져 있다. 꼭대기에 있는 등대는 우리나라에서 가장 높은 곳에 위치한 등대이다.

1937년 일제는 대대적인 원(原)도심 개발을 위해 용미산 언덕을 허물어 택지를 조성했으며 그 자리에 부산부청과 미나카이(三中井) 백화점이 들어섰다. 당시 5층짜리 미나카이 백화점은 엘리베이터 2대가 설치된 부산의 가장 높은 건물이었으며 음악실, 카페, 휴게실,

놀이시설도 있어서 항상 구경꾼들이 벅적거렸다. 광복 후에는 육군5병원, 상공회의소, 부산시청 별관으로 용도가 바뀌었다가 지금은 롯데백화점 광복점이 들어서 있다.

신사참배 반대운동의 메카

우상숭배라는 이유로 강력하게 반발하던 천주교, 감리교, 장로교가 마침내 전국적으로 신사참배에 굴복하자 신사참배반대운동은 지하로 숨었으며, 그나마 가장 치열하게 반대했던 도시가 부산이었다.

그 중에서도 한강이남 최초로 1892년 미국 선교사 윌리엄 베어드에 의해 설립된 영선현교회(현 초량교회)는 신사참배 반대운동의 메카였다. 사랑방 형식으로 전도를 했던 이 장로교회는 독립운동가들의 비밀 회합장소였으며 3.1운동의 거점교회이기도 했다. 초량교회는 임시수도 시절 피난민들의 구국기도회장이었으며 이승만 대통령의 단골 예배당이었다.

1930년대 중반부터 전차가 남포동 부근에 이르면 "신사를 향해 경례!" 하는 차장의 구호에 맞추어 모든 승객들이 일어서서 용두산 신사를 향해 90도로 고개를 깊숙이 숙여야 했다. 용두산 근처에 있던 국민학교 4학년 이상의 학생들은 매주 월요일 조례 이후에 용두산에 걸어 올라가서 신사참배를 해야 했다. 현재 부산타워 자리에 있었던 용두산 신사에는 102개의 일장기가 주위를 감싸고 있었으며, 조선 침공 무장들을 앞세워 통치수단으로 활용했다.

신사참배를 끝끝내 거부하다 부산 철도국에서 해직당하고 2번이나 감옥살이를 했던 장로교 사상교회 민영석 집사는 광복 3개월 후 몰래 시너 병을 들고 가서 용두산 신사를 직접 불태움으로써 한을 풀

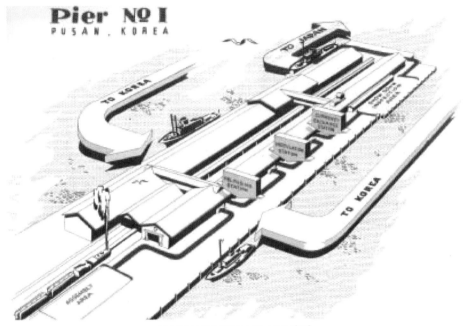

부산항1부두 일본군 철수경로[역]

었다. 일부 기독교 교단에서는 신사참배를 권장하는가 하면 3.1운동 참가를 적극 만류하기도 했다.

서울 연동교회의 캐나다 출신 게일 목사는 "나라가 망해 가는데도 조선기독교인들은 조국이 개처럼 되어가는 것을 멍하니 바라보기만 한다."고 한탄하기도 했다. 3.1운동 민족 대표 33인 중에서 후에 친일분자로 변절한 사람은 모두 종교인이었다.

해방이 되자 1주일 만에 전국 130여 개의 일본 신사가 불태워졌으나 부산만은 예외로 석 달이나 걸렸다. 8월 15일 일본이 연합군에 무조건 항복했다고는 하지만 100만 명에 가까운 한반도 내 거주 일본인뿐만 아니라 만주 등지의 일본인들도 출국의 관문인 부산으로 몰려들어 부두는 아수라장이었다.

　마지막 총독인 아베 노부유키(阿部信行)는 광복 다음날인 8월 16일 부산 교통국에 전화를 걸어 일본행 배편 수배를 긴급 지시했으며 아내와 손자들이 이튿날 황급히 부산에 내려와 밀항선을 탔다. 총독 가족들은 풍랑이 거세지자 조선에서 긁어모은 재물 보따리 절반 이상을 바다에 버리고서도 일본에 가지 못하고 겨우 목숨을 건져 부산으로 되돌아왔으며, 아베 총독은 할복을 기도하기도 했다. 아베가 인천상륙작전을 주도한 하지 중장 앞에서 항복문서에 서명하고 연합군에 의해 총독 자리에서 해임된 것도 9월 12일이었다.

　일본인들이 귀국할 선박이 여의치 않았기 때문에 부산은 광복 후에도 3개월 동안 일제강점기가 연장된 셈이었다. 부산은 임진왜란 때처럼 개항과 함께 일본인들이 맨 먼저 상륙하고 가장 늦게까지 남아 있었으며, 광복 당시 무장한 왜병들이 미군정의 묵인 아래 자국민 보호 명목으로 여전히 거리를 활보했다. 패전 후에도 관동군이었던 일본 무장군인이 한반도에 35만 명이나 득실거리고 있었다.

　여전히 삼엄한 분위기였던 1945년 11월 17일 밤 용두산 신사가 불바다가 되었을 때 당시 신문들은 "일본인들이 한국인을 모략하기 위해 위장 방화한 것 같다."는 방향으로 대서특필했다. 당시 용두산 신사는 귀환선을 타려고 각지에서 모여든 일본인들의 집결지여서 한국인의 접근이 쉽지 않았기 때문이다.

　용두산 신사 화재 사건은 계속 미궁에 빠졌으나 광복 45년이 지난 후 목사가 된 민영석 씨가 간증하듯이 방화 사실을 고백함으로써 세상에 알려지게 되었다.

면암 최익현 선생이 시신으로 돌아오다

1905년 을사조약이 체결되자 항일의병운동에 앞장섰던 74세의 최고령 의병장 면암 최익현 선생은 일제에 의해 3년간 대마도 감금형을 선고받았다. 1906년 8월 27일 면암은 유배 길목인 초량에서 "왜놈 땅 밟지 않고 왜놈 음식 먹지 않겠다."고 하면서 버선 밑에 부산의 흙을 깔고 물 한 동이 싣고 갔다.

면암 선생은 1907년 1월 1일 대마도 이즈하라 위수영 감옥 생활 43일 만에 단식 후유증의 풍토병으로 절명했다.

채용신이 그린 최익현 선생 초상(국립중앙박물관 소장)

1월 5일 그의 시신이 관부연락선으로 운구되어 왔을 때 구봉산 자락의 초량언덕은 유림들의 울음바다였다. 임시 빈소가 부산상공회의소에 차려지면서 일제가 시신을 빼돌려 기차로 운구한다는 소문이 일자 부산시민들이 밤을 지새우며 빈소를 지켰다. 출상이 시작되자 상여를 붙들고 울부짖는 백성들 때문에 하루 10리도 운구하기 어려웠으며 본가인 충남 청양 정산까지 보름이나 걸렸다. 예산군 광시면에 있는 면암의 묘소에는 "단식으로 나라 위해 목숨 바쳤다."는 아사순국(餓死殉國)의 비(碑)가 세워져 있다.

면암은 1876년 굴욕적인 한일수호조약을 강요한 일본사신 구로다 교타카(黑田淸隆)의 목을 베라면서 도끼를 들고 궁궐을 찾아간 '지부상소(持斧上疏)' 사건으로 흑산도 유배를 갈 정도로 대쪽 같은 선비여서 이토 히로부미도 "조선군 10만은 두렵지 않으나 최익현 한 사람은 두렵다."고 실토한 바 있다.

항일 독립운동의 흔적들

부산은 일제 침탈이 시작된 곳이자 종결지여서 항일정신과 독립운동의 흔적도 많다.

범일동에는 항일무장투쟁단체인 의열단의 1호 투사이자 부산의 대표 독립운동가 박재혁 생가 터인 조방로에 '박재혁 거리'가 있다.

3대 독자였던 박재혁은 조선인 탄압으로 악명 높은 하시모도 슈헤이(橋本秀平) 부산경찰서장이 고서화(古書畵) 수집에 특별히 관심이 많은 것을 알고, 1920년 9월 14일 희귀본 고서상인으로 위장 접근하여, 책갈피를 파내고 그 속에 숨겨왔던 폭탄을 던졌다. 탁자에 마주 앉아 있다가 투척했기에 슈헤이 서장은 중상을 입고 그 후유증으

박재혁 폭탄투척 표지석[원]

로 사망했으며 박재혁도 큰 상처를 입었다. 이 사건으로 부산 전역에 비상경계령이 내려지고 '부산일보'는 호외를 발행했다.

부산지방법원에서 무기징역, 대구고등법원에서 사형선고를 받은 박재혁은 "왜놈 손에 죽을 수 없다."면서 사형집행 사흘 전인 1921년 5월 11일 감옥에서 27세로 단식 별세했다. 옥사한 박재혁 의사의 유해가 고관역에 도착했을 때 애도 인파가 인산인해였으며, 그의 죽음은 무력항쟁 방식의 독립운동에 불을 지폈다.

부산어린이대공원과 모교인 개성고(부산상고)에 박재혁 의사 동상이 있으며, 독립기념관장을 지낸 김삼웅 씨가 〈의혈지사 박재혁 평전〉을 개성고 동창회 지원으로 2019년 5월에 발간했다. 그의 유해는 좌천동 공동묘지에 묻혔다가 1969년 서울 동작동 국립묘지로 이장했다. 독립군이 게릴라식 항일전쟁을 하면서 조선주둔 일본사령관과 친일파들의 처단을 소재로 했던 최동훈 감독의 2015년 영화 〈암살〉은 박재혁 의거 활동에서 모티브를 얻은 것이다.

의열단 박재혁과 최천택 [역]

　박재혁 의거에 자극받은 최수봉 지사는 석 달 후 밀양경찰서에 폭
탄을 던졌으며 이듬해에는 김익상 지사가 중국에서 몰래 입국하여
광화문의 조선총독부 2층 회계과에 폭탄을 던진 후 일본인 행세를
하며 유유히 출국했다. 경복궁의 일부 전각을 팔아서 세운 조선총독
부는 1926년 당시 동양에서 가장 큰 서양식 건물이었다.
　조선총독부의 기초 설계자인 독일인 게오르게 데 라란데가 공사
도중 41세로 갑자기 사망했으며, 5년 후 부인 에리타 데 라란데는
베를린에 부임해온 일본 외교관 도고 시게노리(東鄕茂德)와 재혼했
다. 태평양전쟁 당시 외무대신이었던 도고 시게노리는 정유재란 때
납치되어 사쓰마 도기를 만든 도공 박평의(朴平意)의 후손이며, 일본
패망 후 A급 전범으로 20년 형을 받고 복역 중 옥사했다.

백산기념관 [VB]

　부산이 가장 존경하는 인물로는 무역회사인 백산상회를 운영하면서 전 재산을 독립운동자금과 언론, 교육 사업에 희사했던 백산 안희제 선생이다. 고향의 논밭을 팔아 설립한 백산무역(주)에는 경주 최부잣집의 최준을 비롯한 영남의 대지주들이 주주로 참여했다. 3.1운동의 기폭제가 되었던 파리강화회의에 파견한 김규식의 여비도 백산이 지원했다. 동경유학생들의 2.8독립선언문을 몰래 갖고 온 김마리아가 독립운동의 비밀 연락기지인 백산상회에 이 소식을 알림으로써 전국적으로 퍼져나갔고 3.1운동의 도화선이 되었다.

　수차례 회사 수색과 함께 회계장부를 압수당했던 백산 선생은 중국으로 망명하고서도 애국청소년들 교육 뒷바라지를 계속했다. 안호상, 전진한 등도 그가 설립한 장학재단 기미육영회의 지원으로 해외유학길에 나섰다. 백범 김구선생은 광복과 함께 귀국한 후 "상해임

백산기념관 [VB]

시정부와 만주 독립운동자금의 6할은 백산 한테서 나왔다.”고 밝힌 바 있다.

1942년 11월 신병 치료 차 귀국한 백산 선생은 대종교의 독립운동 사건에 연루되어 옥중에서 심한 고문을 받았으며, 체포 9개월 만에 병보석으로 풀려나던 날 별세했다. 일제는 그의 유해가 고향인 의령 구림으로 향하는 도중 상주 외에는 아무도 접근할 수 없게 막았다.

백산 선생은 백범 김구 선생, 백야 김좌진 장군과 함께 독립운동사의 '3백(三白)'으로 높이 받들어진다. 백산 선생은 임진왜란 때 구림 솔뫼에서 전공을 세운 의병 안기종의 후손이다.

백산상회가 있었던 동광동에는 백산거리와 백산기념관이 있다. 동아일보 창간 발기인이기도 한 안희제 선생의 항일 독립정신을 기념하기 위해 1995년 8월 15일 개관한 백산기념관에는 선생의 유품과 구국운동 자료가 전시되어 있고 학생들의 독립운동 교육장으로 활용되고 있다.

그러나 백산기념관은 부산 유일의 독립운동 기념관임에도 초라한 모습으로 중구 동광동 지하에 숨겨져 있다. 독립운동가의 흉상과 귀중한 자료들을 음습한 지하에 모시는 것은 백산 선생의 위업과 치열하게 투쟁한 부산사람들의 항일정신에 어울리지 않는 것 같다.

박기종기념관(부산중구청) [VB]

상해나 만주의 독립운동자금 마련에 큰 역할을 한 분은 임시정부 재무위원 백민 황상규 선생이다.

의열단 창립자이기도 한 백민 선생은 창녕 동양척식회사 관리인을 설득하여 소작료 1년분을 임시정부에 헌납하도록 했는가 하면 밀양 경찰서 폭탄사건으로 조사받을 때에는 혀를 깨물고 모진 고문을 견디면서 많은 독지가들의 군자금 후원에 관한 비밀을 지켜주었다. 기개가 웅장하여 관운장이라는 별명을 가졌던 백민 선생은 40년 한 평생을 독립운동에 바친 의열투쟁의 정신적 지주였다.

한편 수신사 일행으로 일본의 선진문물을 남 먼저 접한 박기종은 교육, 철도, 해운을 통해 조선의 자주적 근대화의 꿈을 몸소 실천한 선각자이다. 동래부 통역관 출신인 박기종은 1895년 5월 한강 이남의 최초 신식학교인 개성학교를 설립했다.

교명 개성은 〈주역〉의 '개물성무(開物成務)'에서에 나온 말로서 "만물의 이치를 깨달아야 제대로 일을 처리하여 성공할 수 있다.'는 뜻이다. 일본 도쿄대학의 전신이 개성학교였기에 한국의 대표 교육기관을 만들고 싶었던 것이다. 영주동에서 문을 연 개성학교는 봉래초등학교, 개성중학교, 개성고등학교(부산상고)의 전신이다.

박기종은 일찍이 일본과 거래하던 부산의 상인조직인 팔상고(八商賈)의 일원으로 활동하면서 모은 재산을 바탕으로 조선 최초의 민간 철도회사인 '부하철도회사'를 설립했다. 낙동강 하구의 물류를 수송하는 경(輕)철도와 경의선 운행허가를 받아 철도건설을 추진했으나 일본의 끈질긴 방해로 사업은 실패로 끝났다. 중구 망양로232에 박기종 기념관이 있고 좌천동의 정공단에는 박기종의 영세불망비와 영세공덕비가 있다.

박기종의 사위 윤상은은 구포은행 설립에 참여하여 민족자본 형성에 앞장섰으며, 윤상은의 조카 윤현진은 상해 임시정부의 재정업무를 맡아 일하다가 과로로 30세에 순국했다.

민주화운동의 최전선

    광복 후에도 부산은 대한민국의 민주주의를 지켜온 시민혁명의 전진기지 역할을 해왔다. 임시수도 시절 이승만의 장기집권을 위한 개헌안이 국회에서 부결되자 민족자결단, 백골단, 땃벌레 등 관변 단체들과 2천여 명의 조선방직 노동자들까지 거리로 나와 국회 해산을 요구하며 극도의 혼란과 공포 분위기를 조성하는 가운데서도 60여 명의 재야인사들이 남포동 국제구락부에 모여 반독제호헌구국투쟁위원회를 출범시켰다. 그러나 피난수도 시절 사사오입 개헌, 부산 정치파동 등 정치의 첫 단추를 잘못 끼운 곳이 부산이었기에 '정치는 4류'라는 말이 회자될 때마다 안타까움을 금할 수가 없다.

피난수도 광복동[원]

민주공원[역]

　1960년 김주열 학생의 사망이 3.15 마산의거와 4.19 혁명의 도화
선이 되었듯이, 1987년 1월 14일 부산 출신의 서울대생 박종철 군
물고문 치사사건은 6월 항쟁의 시발점이자 현대사의 분수령이 되었
다. 박 군의 아버지 박정기 씨가 임진강 얼음물에 유해가루를 뿌리면
서 "종철아 잘 가그래이. 아부지는 할 말이 없대이."라고 한 절규는
온 국민의 가슴을 절이게 했다.

　특히 2월과 3월 박종철의 부산추도대회 때는 분노한 시민들이 상
가를 철시하고 거리로 쏟아져 나왔다.

　1999년에 개관한 부산민주공원에는 일제 때부터 면면히 이어온

민주공원 민주의 횃불[원]

부산의 뜨거운 민주독립정신이 고스란히 모셔져 있다. 광장에 우뚝
선 김정헌 조각가가 설계한 높이 20m의 대형 상징 조형물 '민주의
횃불'은 부산사람들의 굳센 주먹과 활활 타오르는 민주화 불길을 나
타낸다. 민주항쟁기념관에는 3만 8천 건의 부산민주화운동 사료가
전시되어 있으며 민주주의 교육장으로도 활용되고 있다.

6월 항쟁 당시 서울 명동성당의 농성이 끝나고 열기가 식어갔을 때
부산가톨릭센터의 농성은 민주항쟁의 불씨를 되살린 사건으로 평가
받고 있다.

박정희 정권의 유신체제를 종식시킨 1979년 10월의 부산과
마산 민주항쟁은 그동안 역사적 평가가 미흡했으나, 정부는 시민항

부마항쟁 당시 광복동 시위[역]

쟁 40주년을 맞은 2019년부터 부마항쟁 발발일인 10월 16일을 국가기념일로 지정했다.

유신헌법 철폐와 독재정권 퇴진을 요구하는 부산대 학생들의 시위를 시작으로 시민들이 합세하면서 파출소와 방송국, 신문사 등이 습격을 당했다. 서슬 퍼런 유신체제에 반기를 든 가장 큰 규모이자 가장 격렬한 항쟁이었다. 시위가 폭력화되자 정부는 10월 18일 부산에 비상계엄령을, 20일 마산에 위수령을 발동했다.

당시 권력층 내부에서 부마(釜馬)사태에 대한 시각 차이로 갈등이 심해지면서 권력의 2인자 격인 김재규 중앙정보부장의 총격을 받아 박정희 대통령이 별세함으로써 유신체제가 막을 내렸다. 부마항쟁은 1960년 4.19 혁명, 1980년 5.18 민주화운동, 1987년 6.10 항쟁과

부마항쟁 표석[역]

함께 4대 민주화운동으로 평가된다.

국제신문사가 2018년 8월부터 2년 간 21회로 연재 보도한 '다시 쓰는 부마항쟁 보고서'를 토대로 제작한 다큐멘터리 영화 '10월의 이름들'이 2021년 부산국제영화제에 공식 초청 상영되었다. 이 영화를 무상 기증받은 부산, 울산, 경남 교육청은 학생들의 역사체험 교재로 활용하고 있다. 당시 뜨거운 함성이 가득했던 부산대학교와 남포동 일대에는 '부마길'이 있다.

이밖에도 부산에는 고신대생들의 미문화원 방화사건, 경찰관 7명이 순직한 동의대사건, 용공조작사건으로 유명한 서울 학림사건의 부산판인 부림(부산학림)사건 등 민주화 과정에서 야기된 불행한 일들이 많이 있다.

1987년 6월 27일 문현동 로터리에서 웃통을 벗은 채 두 팔을 높이 들고 "최루탄 쏘지 말라."면서 뛰어가는 어느 청년의 시위현장 사진은 6월 민주항쟁과 한국 민주화운동의 상징으로 거론되고 있다. 한국일보 고명진 기자가 찍은 이 사진은 AP통신이 선정한 '20세기 100대 보도사진'에 포함되어 있다.

부산에서 김영삼, 노무현, 문재인 등 세 명의 대통령을 배출한 것도 민주주의 최전선에서 투쟁하는 부산 특유의 풍토가 자양분이 되지 않았을까 한다.

꼭 가봐야 할 한국의 여행지 1위

여행 가이드북의 바이블로 통하는 『로운리 플래닛(Lonely Planet)』이 2018년 꼭 가봐야 할 한국의 여행지 1위로 부산을 꼽으며 이렇게 소개했다.

"부산은 산과 바다를 끼고 있어서 풍경과 문화, 음식이 놀랄 만큼 멋지게 합쳐진 곳이며, 불교 사찰 하이킹서부터 뜨거운 온천욕, 최대 어시장에서의 해산물 성찬까지 안성맞춤의 즐거움을 선사한다. 한국의 제2도시이지만 명성 있는 국제영화제까지 개최하여 서울보다 더 주목받고 있다."

한국해양수산개발원의 조사에 따르면 우리 국민이 가장 많이 찾는 10개 해수욕장 중 5개가 부산에 있으며 부산의 7개 해수욕장 이용객 수가 4,850여 만 명으로 전체의 절반을 차지한다.

유엔 총회가 지정한 세계 유일의 유엔묘지

　부산 남구 대연동에 있는 유엔 기념묘지는 1955년 유엔총회에서 지정한 세계 유일의 유엔묘지이다. 제3차 세계대전이라고도 할 수 있는 한국전쟁 중 유엔군 희생자 40,895명 가운데 1만 1천여 명이 부산 유엔묘지에 묻혔다가 대부분 본국에 송환되고 현재 영국, 터키, 캐나다, 호주, 뉴질랜드 등 11개국 2,311구가 이곳에 안장되어 있다. 호주군 소속 케네스 하머스톤 대위(당시 34세)는 결혼 3주 만인 1950년 7월 한국전쟁에 참전하여 그해 10월 낙동강전선에서 전사했다. 당시 간호장교로 일본에 체류하던 그의 아내는 평생 독신으로 살다가 60년 만인 2010년 별세하자 평소의 소원대로 남편의 묘소인 유엔묘지에 합장됐다.

　유엔묘지에는 유일하게 장군 한 분과 민간 여성 한 분이 안장되어 있다. '전쟁고아의 아버지'라고 불리는 미군 제2군수사령관 리차드 위트컴 장군은 부산 국제시장 대화재 때 이재민 3만여 명에게 천막과 음식 등 군수물자를 제공했으며, 천막교실 수업을 하던 부산대학교를 위해 이승만 대통령을 설득하여 장전동에 50만 평의 부지를 마련하고 학교 건설자금 25만 달러를 원조로 해결하는가 하면 진입도로와 부지 조성공사는 미국 공병 부대가 직접 시공 지원함으로써 전쟁물자 무단 제공 사건으로 미국 의회 청문회에 불려나갔다. 그는 청

유엔군전몰장병추모병비(인터넷)

문회에서 "전쟁은 총칼로만 하는 것이 아니다. 그 나라 국민의 마음을 얻는 것이 진정한 승리다."라고 역설하여 의원들의 기립박수를 받았다. 그는 전역 후에도 계속 한국에 남아 아내 한묘숙 여사와 함께 전쟁고아들을 보살폈다.

부산의 메리놀병원과 성분도병원도 위트컴 장군의 주선으로 설립되었다. 그는 장병들에게 "사랑의 기금으로 월급의 1%씩 내놓자."고 제안하면서 직접 두루마기에 갓을 쓰고 다니며 모금운동을 벌였다.

"한국 땅에 묻히고 싶다."는 위트컴 장군의 유언에 따라 1982년 그의 유해는 유엔묘지에 안장되었으며 2017년 그의 아내가 별세했을 때는 부산대학교장으로 장례를 치른 후 유엔묘지에 합장했다.

2018년 7월에는 유엔평화기념관 안에 리차드 위트컴 상설전시관이 개설되었다.

일부 참전용사들은 본국에서 여생을 보낸 뒤 "전우들과 함께 묻히고 싶다."고 유언함으로써 유해가 부산으로 운구(運柩)되어 유엔묘지에 안장되는 경우도 있다. 2015년 5월 프랑스 참전용사 레몽 베르

나르를 시작으로 모두 13명의 전우가 사후에 부산에서 영면하고 있다. 이들은 인생의 가장 아름다운 시절에 대한민국을 지키기 위해 목숨을 걸고 싸웠으며 생을 마감하면서 '제2의 참전'을 결정한 것이다. 이와는 반대로 신원불명으로 매장되어 있다가 후에 신원이 확인되어 본국으로 송환되는 영령도 있다.

검은 오석으로 된 유엔군전몰장병추모명비에는 "우리 조국에 님들의 이름을 사랑으로 새깁니다."면서 전몰자 이름이 모두 새겨져 있다. 유엔 기념공원에는 녹색지역과 묘역 사이의 경계를 구분하는 '도흔트 수로'가 있다.

전몰용사 중 최연소인 17살의 호주 출신 도흔트(J. P. Daunt) 일병을 기려, 삶과 죽음의 경계를 상징하는 물길을 만든 것이다.

11월 11일 11시 11분, 'Turn Toward Busan'의 묵념

해마다 11월 11일 11시 11분에는 이곳에 추모 사이렌이 울리며 전 세계가 부산을 향해 1분 간 묵념을 한다. 2007년 캐나다 참전용사인 빈센트 커트너 씨의 제안으로 '턴 투워드 부산(Turn Toward Busan)'의 묵념이 시작된 것이다.

커트너 씨는 40년 만에 비극의 현장을 방문하여 부산의 놀라운 발전상을 보고 "한국전 참전이 내 인생의 가장 자랑스러운 기여"라고 말했다. 부산시는 2019년 커트너 씨에게 명예부산시민증을 드렸다. 11월 11일은 1차 세계대전 종전일로서 영국을 비롯한 영연방국들은 이날을 현충일로 기념하고 있다.

유엔평화기념관이 있는 유엔문화특구는 세계에서 유일하게 유엔으로부터 UN 명칭 사용허가를 받은 곳이다. 한국은 이 묘역을 유엔

유엔평화기념관 [VB]

에 영구 기증했으며 관련 당사국들이 공동 관리하고 있다.

대한민국의 자유와 평화를 위해 산화한 UN군의 희생정신을 기리기 위해 건립한 유엔평화기념관에는 상설전시관으로 UN한국전쟁관과 UN참전기념관, UN국제평화관이 있다. 기념공원을 설계한 건축가 김중업은 "이국땅에서 평화를 위해 싸우다 간 여러 나라 천사들에게 두 손 모아 경건히 바친 작품이다."라고 정문 입구에 밝히고 있다. 김중업은 우탄트 유엔 사무총장으로부터 "세계의 유엔 관련 건축물 가운데 가장 아름다운 작품."이라는 찬사를 받기도 했다.

프랑스의 세계적인 건축가 르 코르뷔지에의 가르침을 받은 김중업이 1950년대 말에 설계한 부산대학교 본관은 등록문화재 제641호로 지정되어 있다. 길이가 140m나 되는 초대형 건물이지만 지형에 순응하는 곡선의 부드러운 캠퍼스가 세월에 마모되지 않고 돋보인다.

유엔묘지 조성공사를 맡았던 현대건설 정주영 회장은 1951년 새해

메러디스 빅토리아 호(인터넷)

초 각국 유엔 사절단 방문을 앞두고 묘역 현장을 푸른 잔디로 덮으
라는 갑작스런 주문을 받고 김해평야의 보리밭에서 파릇파릇한 새
싹을 옮겨 심어 유엔군 당국으로부터 '원더풀!'이라는 칭찬을 받았다
는 일화도 있다. 정주영 회장의 동생 정인영이 미군 지원사령부 통역
원으로 근무하면서 미8군이 발주하는 공사는 현대건설이 독점하다
시피 하던 시절이다.

뭐니 뭐니 해도 1950년 12월 흥남철수작전 당시 2천 명 정원의 메
러디스 빅토리아 호에 피난민 1만 4천 명을 태워 최다 승객 승선 기
록으로 기네스북에 오르고 이 배에서 5명의 새 생명이 태어난 이야

기는 언제 들어도 감동적이다.

'성탄절의 기적'이라고 할 수 있는 승선 피난민들이 오늘의 부산을 일궈낸 민초들이다. 기념관 야외에는 6.25 참전 21개국과 우리나라와 일본 작가를 포함하여 모두 23개국의 조각가들이 기증한 34점의 작품을 전시한 UN조각공원도 있다. 6.25전쟁의 종전협정이 이뤄진 7월 27일은 '유엔군 참전의 날'로 전 세계가 기념하고 있다.

6.25의 참전 기념비는 우리나라 각지에 산재해 있지만, 부산의 번화가인 부전동 롯데백화점 부산본점 입구에 1950년 9월 23일 가장 먼저 의료지원단 174명을 파견한 스웨덴 참전비가 있다. 초대 병원장 칼 에릭 그로스 대령은 당시 부산상업고등학교 운동장에 200병상 규모의 야전병원을 설립하여 부상병뿐만 아니라, 민간인까지 돌보면서 선진의료기술을 전수해주었다.

스웨덴은 전쟁이 끝난 후에도 대연동으로 병원을 옮겨 6년 6개월 동안 1,124명의 의료진이 200만 명 이상의 환자를 돌봐주었으며 특히 BCG 접종을 통해 결핵 퇴치에 많은 공헌을 했다.

부산사람들은 아직도 '서전(瑞典, 스웨덴의 한자식 표기)병원'의 고마움을 잊지 못하고 있다.

스웨덴을 비롯하여 인도, 덴마크, 노르웨이, 이탈리아 등 5개국의 의료지원단은 모두 부산으로 들어왔기에 태종대공원에는 의료지원단 참전 기념비가 세워져 있다. 그 중 스웨덴, 덴마크, 노르웨이의 스칸디나비아 3국은 1958년 폐허가 된 서울에 최신 의료시설을 갖춘 국립의료원을 세우고 전국의 환자들에게 무료진료와 함께 의료기술도 전수해주었다. 과거 다른 나라들을 침략하고 노략질했던 것으로 악명 높은 바이킹의 후예 스칸디나비아 3국이 참회의 보상을 했는지도 모른다. 이들 의료진을 위한 식당 '스칸디나비안 클럽'은 외교관들의 고급 사교장이 되었으며, 바이킹 식 음식문화인 뷔페를 우리나라에 최초로 소개한 식당이기도 하다.

부산에는 6.25 전쟁 때 목숨을 바친 세계의 젊은이들을 기리기 위해 남구 대연동에서 용당동까지 4.5km의 '평화역사의 길'이 있다. 도심 속의 휴식처로 통하는 대학문화골목을 들어서면 6.25 때 미8군 사령관이었던 월튼 워커 장군의 집무실이 부경대 캠퍼스 귀퉁이에 있다. 포탄을 견딜 수 있도록 벽의 두께가 70cm나 되는 돌담집은 천정이 낮아 '지상의 벙커'로 통했다.

부경대 워크하우스를 시작으로 김중업이 설계한 유엔기념공원, 부산박물관, 부산문화원, 일제강제동원역사관, 유엔평화기념관, 평화

일제 강제동원 광산마을[역]

우키시마 호 사건을 다룬 뮤지컬 공연 포스터(인터넷)

공원, 유엔조각공원 등을 순례하다 보면 생생한 부산의 근현대 역사를 만날 수 있다.

강제로 동원되었던 사람들의 역사

일제가 초기에는 일반모집 형식으로 조선인들을 모집하여 토목공사장이나 광산의 인부로 집단노동을 시키다가 1937년 중일전쟁 이후부터 국가총동원법과 국민징용령을 통해 본격적인 강제동원에 나섰다. 당시 한반도 안에 있던 일본 군수공장만도 7천 개가 넘었다. 역사관 자료에 따르면 노무 동원에 7,554,764명, 군무원 동원에 63,312명, 군인 동원에 209,227명 등 모두 7,827,355명이 강제동원의 피해를 보았다. 1942년 조선총독부 통계에 따르면 조선의 인구가 2,630여 만 명이므로 4명 중 1명이 강제로 동원되었던 셈이다.

강제 동원된 한국인 중 22%가 경상도 출신인 데다 대륙 침략의 교두보이자 송출장이 부산이었기에 부산에 국립일제강제동원역사관이 설립된 것은 당연한 일인지도 모른다. 2015년 12월 10일 세계인권선언일에 맞추어 개관한 일제강제동원역사관 5층 '기억의 터'에는 희생자들의 생생한 증언과 절규가 새겨져 있다.

"매월 5원씩 집으로 보낸다고 해서 월급에서 뺐는데, 집에는 한 푼도 안 갔어. 배가 고파 취사반에 가서 누룽지 주워 먹다가 매도 맞고……."

특히 4층에는 광복 일주일 후에 홋카이도, 아오모리, 도후쿠 지방에 차출되었던 조선인 징용자 7천여 명을 태우고 오미나토 항을 출발하여 부산으로 오던 해군수송선 우키시마 호(浮島丸)가 교토 근방의 마이즈루(舞鶴)항에서 의문의 폭침을 당한 사건도 자세히 소개하고 있

귀환동포 조난자 위령비[역]

다. 일본이 패망하자 조선 징용자들이 폭동을 일으킬 것이라는 우려 때문에 긴급히 강제 수송을 추진했으며, 원래 노선이 아닌 마이즈루에 서 임시 정박하는 동안 인솔 장교들은 대부분 하선했던 것이다.

일본은 미 점령군의 지시로 항로를 바꾸었으며 미군 기뢰의 저격 을 받은 사건이라고 공식 발표했으나, 수송선이 부산에 도착하면 일 본 인솔자들이 한국인들의 보복을 받을 것이라는 판단 아래 자폭했 다는 설이 유력하다.

이 사건의 희생자 유족들이 일본 정부를 상대로 배상청구소송을 제 기하여 2001년 교토지방재판소에서는 300만 엔씩 위로금 지급판결 을 받았으나 2003년 오사카고등재판소에서는 원고 패소 판결이 났 다. 2019년 김진홍 감독이 〈일본은 살인자다〉라는 제목으로 이 사 건을 다큐멘터리 영화로 제작했다.

역사관 옥상에는 비극의 현장을 간접 체험할 수 있는 강제동원 조형물을 설치하고 솔밭쉼터 사이로 태극기 바람개비가 휘날리는 추모공원을 마련했다.

도심의 남의 땅이 시민의 품으로

지금은 시민공원이 된 서면 범전동과 연지동 일대의 하야리아 부대는 굴곡진 우리 과거사의 아픔이 켜켜이 쌓여 있는 곳이다. 부산을 점령한 일제 총독부는 1930년 이곳 농민들을 몰아내고 대규모 경마장을 건설했다. 경마장은 총독부의 세수 확보와 군사용의 군마 사육이 목적이었다.

1930년 11월 1일자 동아일보에 "그 땅에 농사를 지어 호구해오던 소작농들이 생계 방도를 잃어버렸다."는 기사가 실려 있다. 경마장 담장 너머에 있던 서면공립보통학교(성지초등학교) 학부모들의 반대 항의도 무용지물이었다.

중일전쟁 후부터는 이곳에 기마부대와 병참기지를 마련하고 전쟁터로 나가는 조선 젊은이들의 임시훈련소로 사용했다.

해방과 함께 미국 극동기지사령부 산하의 부산기지사령부가 이를 접수하여 군수물자 보급창고로 쓰던 미군은 초대 사령관의 고향인 플로리다 하야리아를 부대이름으로 붙였다. 하야리아는 인디안 원주민어로 '아름다운 초원'이라는 뜻이다. 한국전쟁 당시 미국에서 이곳에 들어오는 오렌지 1개 값이 15원으로 근처 태화극장 영화입장료와 같았다고 한다. 이 부대에서 흘러나온 각종 군수품들이 도떼기시장이나 깡통시장에서 암거래되기도 했다.

그 뒤 부산시민들의 끈질긴 노력 끝에 일제와 미군에게 빼앗겼던

부산시민공원[VB]

땅을 100년 만에 되찾아 2014년 시민공원으로 거듭났다.

공원 설계를 국제 공모한 결과 '흐름과 쌓임의 충적지'를 의미하는 얼루비움(Alluvium) 개념을 제안한 미국 조경건축가 제임스 코너 작품이 당선되었다.

공원조성공사 과정에 이 일대에서 조개더미, 고분군, 성터 등이 발견되어 선사시대와 삼국시대, 그리고 조선시대 생활 유적지였다는 사실도 확인되었다.

부산시민공원은 시민들의 힐링 휴식을 위해 주변 아파트의 담장을 없애고 건물의 높이를 제한함으로써 접근성을 높이는 도심 속의 파크시티로 자리 잡고 있다. 부산 속의 남의 땅이었던 하야리아 부대가 뉴욕의 센트럴파크처럼 부산의 허파 역할을 하는 도시공원으로 조성되어 가고 있다.

시민공원 안에 2천 석 규모의 클래식 전용 콘서트홀과 4백 석의 실내악 챔버홀을 갖춘 국제아트센터가 2023년 완공되면 부산은 수준 높은 공연을 즐길 수 있는 종합문화도시로 발돋움할 수 있을 것이다.

부산시민공원. 우길선[VB]

포로수용소가 있던 거제리

　지금 부산시청과 부산경찰청, 연제구청이 들어 있는 서면 거제리 일대는 6.25 전란 당시 포로수용소 자리이다. 개전 초기 포로수용소는 대전형무소, 대구 효성국민학교를 거쳐 계속 남하하다가 7월 24일 '큰 제방이 있는 마을' 거제리(巨堤里)에 주한미군사령부 제1포로

수용소가 자리를 잡았다.

　9월 15일 인천상륙작전으로 포로가 갑자기 늘어나다가 중공군까
지 합세하여 포로가 14만 명에 육박하자 수용시설 확장에도 한계가
있어서 이듬해 2월부터 거제도에 새로운 수용소를 설치하고 이들을
이송하기 시작했다.

부산의 역사는 바다의 역사

우리나라 최초의 무역항

개화와 개항의 전초기지에 살아온 부산사람들은 국난을 감수하면서 거친 바다를 끼고 치열한 삶을 이어왔다. 부산은 고종 13년인 1876년 2월 부산포라는 이름으로 개항한 우리나라 최초의 무역항이다. 부산 앞바다에는 영도와 조도가 방파제 역할을 하고 있으므로

매축지마을 1907년[원]

부산항 1910년[역]

항만으로서 천혜의 입지조건을 갖추고 있다.

 일제에 의해 연이은 매립과 부두축조공사를 거친 부산항은 국내외 주요 도시와 연결되는 정기여객선이 출항하고 있지만 낙도로 가는 여객선이 없는 것도 특징이다.

 부산은 원래 물의 도시였다.

 수영강과 동천, 보수천을 비롯한 크고 작은 하천이 해안으로 흘러드는 부산에 부두시설과 항만시설이 들어서면서 하천은 복개되고 매립되었다. 1930년대 중반까지만 해도 동천은 300톤급 선박이 다녔던 운하수로였다. 부산은 이탈리아의 베네치아와 같은 물의 도시에서 해양 도시로 탈바꿈한 것이다.

 부산이 항만으로서 모습을 갖추자 특별한 기술이 필요 없는 막일꾼들이 부산의 부두로 몰려오기 시작했다. 이들은 중노동에다 일본 화주로부터 받은 품삯을 중간에서 가로채는 십장제에 항의하는 노동파업을 1921년 9월 25일 부산부두 하역장(荷役場)에서 벌였다. 우리나라 노동운동사에 최초의 총파업인 것이다. 4.19 후에는 부산 부두노동자들이 대한노총(위원장 김기옥)의 어용활동을 규탄하는 시위와 법정투쟁을 수년 간 계속했다.

매축지 부근 공장들[역]

1921년 9월 22일 "동아일보"에 게재된 부산부두노동자 파업 기사

부산부두노동자 파업 기사[역]

자갈치시장

부산 하면 무엇보다도 자갈치시장이 떠오른다. 비가 오면 대신동의 구덕산 돌멩이들이 보수천을 거쳐 해안가로 쏟아져 내려오는 지역이라고 해서 원래 지명은 자갈처였다. 일제 때는 일본인들만의 전용 물놀이 장소인 남빈(南濱)해수욕장 자리다. 남포동에서 부평동, 완월동에 이르는 해안에는 몽돌과 모래밭이 많아 일제가 매축하면서 해수욕장을 조성했던 것이다.

6.25 전란으로 동쪽의 국제시장은 도떼기시장으로, 서쪽의 부평시장은 깡통시장으로 바뀌면서 전통시장에서 밀려난 사람들이 자갈처

남빈해수욕장[원]

에 와서 함지박이나 판때기를 펼쳐놓고 장사를 시작했다. 자갈마당에서 널빤지 좌대 위에 생선을 올려놓고 팔았기에 '판때기 아지매'로 통했다. 근처 충무동에 생어상조합(生漁商組合)이 결성되면서 자연스럽게 어시장이 형성되었고, 생선 이름에 많이 등장하는 '치'를 붙여서 자갈치로 이름이 바뀐 것이다.

광복 직후에는 자갈치 마당에서 생선이 아니라 장작, 솔가지, 솔방울 등 땔감이 주종을 이루었다. 자갈밭에 땔감을 담장처럼 수북이 쌓아두고 그 속에서는 은밀히 밀수품을 거래하는 경우가 많았다.

오늘날 한려수도에 해당하는 부산, 통영, 삼천포, 여수는 한때 밀수의 황금바다였다. 이 무렵부터 "영도 부자는 밀수 부자"라는 말이 나돌기도 했다.

우리나라 외화 획득의 일등공신이 원양어업이었을 때는 오랜 항해에 시달리던 뱃사람들이 조그만 통선을 타고 도착하는 부두가 바로 자갈치시장이었다.

자갈치시장[원]

영도다리에서 바라본 자갈치시장[원]

부산은 입출항의 기지여서 파시(波市)처럼 술집과 여인숙도 즐비하고 흥청거렸다. 원양어선이 감천동 원양부두로 옮긴 후에도 한동안 마도로스(matroos)들은 이곳 자갈치에 와서 애환을 달랬다.

부산의 새벽을 깨우는 자갈치 아지매

'자갈치 아지매'는 억척스러우면서도 정겨움이 넘치는 시장 아주머니의 대명사가 되었다. 1960년대 초 단속 나온 경찰관의 목을 껴안고 바다에 뛰어든 일이 있고난 다음부터는 자갈치 아지매들의 명성이 더욱 높아졌다.

"부산 새벽은 자갈치 아지매가 깨운다."는 말이 있다. 통금이 해제되는 새벽 4시 택시 첫 손님은 항상 자갈치 아지매들이었다. 자갈치

자갈치 위판장[원]

자갈치[VB]

시장 근처에 공동어시장 경매가 6시부터 시작되지만 자갈치 아지매들은 전날 어황 사정을 파악하고 5시에 가게 문을 열기에 새벽 인생으로 살아간다.

부산 출신 가수 나훈아의 노래 〈자갈치 아지매〉에는 "입술을 깨물면서 뱃고동은 반평생/ 해와 달이 바뀌어 이마의 주름살을 쳐다보며 쏟아지는 눈물도/ 한 맺힌 인생살이 갈매기 손길 따라/ 이제는 억척스런 자갈치 아지매/ 어서 어서 오이소 웃음으로 반기는/ 부산의 자갈치 아지매"라는 가사로 되어 있다.

우리나라 최대 어업전진기지인 남부민동 남항에 있는 부산공동어시장은 국내 수산물의 30% 이상을 위탁 판매하는 최대 어시장이다. 이곳 경매장은 쉴 새 없이 흥정을 붙이는 경매사, 더 좋은 물건을 보다 싸게 사려는 중도매인, 실제 장사를 하는 가게주인 소매상, 경매된 생선을 손수레에 옮겨 싣는 인부, 배에서 내린 생선을 정리하고

자갈치전통시장, 장부봉[VB]

분류하는 부녀반, 여기에 구경꾼들까지 곁들여 억센 사투리와 고성
이 오가는 치열한 삶의 현장이다.

혹시 삶이 지루하거나 무기력하게 느껴질 때 새벽 경매어시장으로
나가면 분명 활기를 되찾을 수 있을 것이다.

자갈치 아지매가 자갈치 할매로 바뀔 때쯤 되면 모든 어패류와 생
선을 훤히 꿰뚫고 있는 수산학 박사가 된다. 바닷바람에 피부는 거칠
어지고 짠물에 손가락 지문이 모두 사라져버린 억척스런 삶을 헤쳐
온 자갈치 아지매들은 모두 가정의 든든한 버팀목이었다.

부산에서 그런 대로 행세를 하는 집안은 늦가을 김장철이 되면 자
갈치시장에서 대구를 여러 두름 사다가 알은 소금에 절이고, 내장은
국을 끓이며, 나머지 살 생선은 처마 밑에 걸어 말렸다. 밤이 되면 대
구 눈에서 뿜어내는 푸른 불빛을 바라보면서 해풍에 꾸들꾸들해진
살점을 안주로 술잔을 기울이다가 새벽녘에는 다시 자갈치로 가서

자갈치, 권기학[VB]

복국이나 재첩국으로 해장을 하곤 했다.

　자갈치시장은 충무동 부산공동어시장부터 영도대교 바로 옆 건어물시장까지 우리나라의 가장 큰 수산물시장이다. 1985년 대화재로 자갈치시장의 점포 231개가 모두 잿더미로 변했으며 그 자리에 지하2층, 지상7층의 현대식 건물이 새롭게 들어서고 외국 관광객들도 몰려오지만, 자갈치시장의 진면목은 골목 양편의 천막이나 좌판에 앉아 손님을 부르는 아지매들의 억센 사투리가 아닐까 싶다. 자갈치시장 생선은 '살아 있으면 1만 원이고, 죽으면 5천 원, 소금을 뿌렸으면 3천 원, 밤늦게는 거저'라는 말이 있다.

'오이소, 보이소, 사이소' 자갈치 축제

　우리나라 최대 수산물 축제인 자갈치축제의 슬로건은 '오이소, 보이소, 사이소'이다.

　축제가 열리는 유라리 광장에서는 자갈치 아지매들이 세계 최대의 회 비빔밥 3천인 분을 만들고 미역국, 전복죽, 복국 등을 끓여서 축제기간 동안 방문객들에게 제공한다. 자갈치시장은 수산물로만 유명한 곳이 아니라, 정감 넘치는 부산 사투리의 보물창고이다.

　소주라도 한 잔 걸치고 자갈치시장 건물 뒤편 친수광장으로 나가서 건너편 영도 깡깡이 예술마을을 보면 "그때 왜 그랬어요?"라는 글자가 밤하늘에 선명하게 보인다. 머리칼이 반백의 나이가 되어 지난날의 삶을 되돌아보면 누구나 공통적으로 후회하는 세 가지, 즉 '참을 걸, 베풀 걸, 즐길 걸'이 떠오르며 자기성찰을 하게 된다.

자갈치 축제[원]

김민부의 〈자갈치 아지매〉, 최장수 시사만평 프로그램

노전(路廛)에서 좌판을 벌이고 있는 자갈치 아지매들의 고함소리는 예전에 비해 많이 줄어들었지만, 다정하면서 억센 부산 사투리가 매일 아침방송에 살아있다. 부산 MBC 라디오의 "안녕하십니꺼, 자갈치 아지맵니더."로 시작하는 〈자갈치 아지매〉는 1964년 6월 7일 첫 방송을 시작했으며 2022년 3월 15일 현재 17,848회로 우리나라 최장수 시사만평 프로그램 기록을 이어가고 있다.

김민부 전망대[원]

이 프로를 창안한 김민부 PD는 '한국의 랭보'로 알려진 천재 시인이다. "일출봉에 해뜨거든…."으로 시작하는 〈기다리는 마음〉의 작사가이기도 한 김민부는 성남초등학교를 2회 월반하고 부산 지역 중학 연합고사에서 수석을 차지했으며 부산고등학교 다닐 때 동아일보와 한국일보 신춘문예로 등단하면서 고등학교 2학년 때 시집 『항

김민부 전망대에서 바라본 부산항대교[원]

아리』를 냈다.

　부산시가 편찬한 『부산을 사랑한 사람들』의 첫 번째 인물로 소개된 김민부는 31세 때 화재로 요절했다. 그의 시비는 암남공원 해안길에 있으며, 산복도로 초량 이바구길에 있는 '김민부 전망대'에서는 부산의 일출을 즐길 수 있다.

깡깡이 아지매들의 고달픈 삶

　자갈치 아지매보다 고된 삶을 이어가는 사람은 깡깡이 아지매이다. 오랜 항해로 선박 표면에 붙어 있는 녹이나 조개 등 이물질을 망치로 깡깡 두드려 제거하는 일을 깡깡이라고 한다. 주로 여인들이 뱃전에 밧줄로 몸을 매달고 종일 두드리다 보면 난청에 이명이 겹쳐 불면증에 시달린다.

작업 중인 깡깡이 아지매[원]

우리나라 조선공업의 발상지 영도 대평동은 어선의 피난과 수리, 조선의 중심지다. 이곳은 임진왜란 직후 두모포왜관이 생길 때까지 일본에 끌려간 조선인들의 송환업무를 보던 임시 왜관이 있던 곳이었는데, 1876년 부산항 개항과 함께 일본 어선들의 어로 본거지가 되었다. 특히 1926년 대규모 매립공사로 대평동 대교동 남항동이 새롭게 생기면서 한반도 조선공업의 중심지가 되었다.

1887년 우리나라 최초의 근대식 목재 조선소인 다나카조선공장이 영도에 들어섰으며 반세기 후인 1937년에는 국내 최초의 철강 조선소인 조선중공업(현재의 한진중공업)이 일본인에 의해 설립됨으로써 영도는 조선공업의 메카가 되었고 오늘날 해운입국의 경지까지 오게 되었다.

영도 남항동 대평초등학교 교정에는 '한국 근대조선 발상 유적지'라는 기념비가 세워져 있다. "신라의 해상왕 장보고, 고려의 최

깡깡이 예술마을 [VB]

무선, 조선의 이순신을 잇는 선박제조의 맥이 영도에서 꽃을 피웠
다."는 자부심이 새겨져 있다.

이곳은 삼면이 육지로 에워싸고 있어서 태풍 때 대피하기 좋은
포구라고 하여 대풍포(待風浦)라고도 했다. 해방 후에는 풍(風)이
평(平)으로 바뀌어 대평동이 되었고 "대평동서 못 고치는 배는 없
다."는 조선수리길 일대가 '깡깡이 마을'이다.

'부산에 가서 깡깡이질이나 해보세'라는 노랫말이 전해오는 것으
로 보아 오래 전부터 영도에는 낡은 배를 수선하는 깡깡이 직업이
있었던 것 같다. 깡깡이는 제주에서 부산으로 이주해온 해녀들이
수중의 위험한 물질 대신 고되지만 해상에서 선박을 수리하는 일
로 전업한 데서 시작한 것으로 알려지고 있다. 개화기 단발령으로
상투를 틀지 못하게 되자 말총으로 갓을 만들어 생계를 유지하던

깡깡이 마을 조선소 발상지 [VB]

깡깡이 마을[원]

대평동 깡깡이 마을[원]

제주민들이 섬을 탈출하기 시작했던 것이다.

영도해녀문화전시관에는 제주 해녀(海女)들이 부산으로 이주한 사연과 "저승에서 돈을 벌어 이승에 쓴다."는 해녀들의 고달픈 삶이 잘 나타나 있다. 부산에는 제주 다음으로 해녀가 많다. 2020년 2월 통계로 847명이나 된다. 대부분 60대 이상의 고령이며 미역과 멸치로 유명한 기장에서 해녀들의 '휘~ 휘~'하는 숨비소리가 가장 많이 들린다.

어쨌든 깡깡이 아지매는 피난시절의 억척스럽고 모진 생활을 견뎌낸 우리 어머니들의 상징이다. 조선산업의 유산과 그 스토리를 이바구길에 녹여낸 깡깡이 예술마을이 2018년 문화체육관광부의 지역문화 공모전에서 최우수상을 받았다. 대평동 수리조선소길 일대가 도시재생사업으로 깡깡이 투어코스가 되었다.

도개교 장관 보기 위해 인산인해

부산의 또 다른 브랜드는 '영도다리'다. 한 세대 전만해도 부산에서는 "다리 아래서 너를 주워왔어. 말 안 들으면 다리에 도로 갖다 버린다."고 놀리는 말을 듣지 않고 자란 어린이는 아마 없었을 것이다.

영도(影島) 섬에서 나룻배를 통해 부산 시내로 건너다니던 뱃길에 한쪽 다리 상판을 들어 올리는 최첨단 공법의 도개교(跳開橋)를 1934년 11월 23일 개통했다. 당시 일본인들이 영도에 조선소 터전을 마련했기에, 조선소 장비의 육로수송과 일본을 왕래하는 큰 배들의 운항을 모두 충족시키기 위해 일제가 고안한 우리나라 최

영도다리 준공식[역]

초의 연육교이다. 일본 군수업체가 들어선 영도와 부산 본토를 연결하는 다리 공사비는 요즘 돈으로 360억 원 정도 들었는데 일본 기업가들의 헌금도 적지 않았다.

다리가 가설되기 전에는 영도 봉래동 갯가에서 용미산(롯데백화점 광복점) 기슭을 오가는 나룻배가 유일한 운송 수단이었으며 한창때는 하루 이용승객이 5만 명 이상이나 되었다. 영국이 산업혁명으로 새로운 기계가 들어서자 기존의 방직수공업자들이 기계파괴운동을 벌였던 '러다이트'운동처럼 영도다리 건설 초기에 나룻배 운송회사들의 강력한 항의시위도 있었다.

다리 건설로 나룻배가 없어진 지 90년 후에 이번에는 관광용 도선(渡船)이 다시 부활했다. 도선 출발지였던 영도 선착장에서 유람선을 타면 자갈치시장, 원양어선과 냉동창고, 조선소 수리공장, 깡깡이예술마을을 샅샅이 돌아볼 수 있다.

영도다리의 시공회사는 토목계의 거두로 알려진 오바야시 구미(大林組)가 맡았고 기계시설 부문은 오사카기차회사가 제작했다. 설계를 맡은 야마모토 우타로(山本卯太郎)는 나고야공고를 거쳐 미국 유학을 마친 40대초의 엘리트였으나 개통도 보지 못하고 심장마비로 사망했다. 보조설계는 통영 출신으로 일본 유학을 다녀온 건축가 최규용 씨. 4년 공사 끝에 준공식 때는 다리의 장수기원을 위해 김해에 살고 있던 80대 장수 부부와 쓰찌야 덴사쿠(土屋傳作) 부산시장이 테이프 커팅을 했다.

우가키 가즈시게(宇垣一成) 조선 총독은 축사를 통해 "부산항은 조선반도의 인후(咽喉, 목구멍)이자 구아(歐亞, 구라파와 아시아)의 현관으로 매우 중요한 사명을 갖고 있다. 오늘 개통을 맞아 교통, 산업, 경제 모든 부분에서 국운 융창의 밑거름이 되기를 바란다."고 기원했다.

다리의 첫 발을 내딛는 도초식(渡初式)은 부산의 각 소학교 3~4학년에서 선발된 280명이 부산과 영도 양쪽에서 동시 출발하는 것으로 시작했다. 커다란 강철 구조물이 서서히 하늘로 올라가는 도개교 장관을 구경하기 위해 이날 7만 가까운 시민들이 모여들었다고 한다. 인파에 밀려 동광동과 남포동 사이 전차 운행도 한동안 정지되었다. 당시 부산 인구가 16만 명 정도였으니 올림픽이나 월드컵 개막보다 더 큰 구경거리였던 게 분명하다.

거리가 어두워지자 다리 난간에는 만국기와 일장기가 펄럭이고 각종 축하 제등 행렬이 불바다를 이루었다.

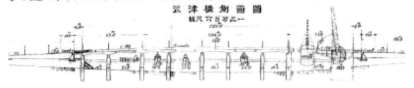

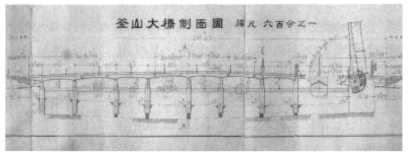

영도다리 설계도[역]

중앙도매시장에서는 준공을 위한 축하무대가 설치되어 남빈권번, 봉래권번, 녹정유곽에서 선발된 기생들의 화려한 가무가 공연되었으며, 이 행사를 위해 특별히 작곡한 〈축하 행진곡〉 합창도 있었다. "부산대교 공사가 완성되어 기쁨은 거리에 넘쳐나고/ 개통식이 행해지는 오늘 같은 좋은 날을 자축하세."라는 축하 노래가 거리를 가득 메웠다.

영도다리는 개통 당시 하루 7번씩 교각이 올라갔으나 내가 고등학교를 다녔던 1960년대 초에는 하루 2번, 교각이 올라갈 때는 전차 안에서 15분 간 기다렸던 기억이 난다.

영도다리는 32세가 되던 1966년 8월 31일 교통체증과 영도지역의 급수문제로 인해 도개기능을 중지했다가 47년만인 2013년 11월 27일 다시 부활했으며, 지금은 오후 2시 한 차례만 통행이 정지되고 60도 각도로 다리 상판이 올라간다. 국내 유일의 도개교인 영도대교는 순전히 관광을 위한 '들림 쇼'를 하는 것이다. 그나마 코로나 사태 동안은 도개 장면이 당분간 멈추었다.

영도다리[VB]

영도다리에서 만나자며 피난민들 몰려

8.15 광복 무렵 35만 명이던 부산 인구가 귀환동포 20만, 한국전쟁으로 50만이 넘는 피난민이 몰려들어 갑자기 포화 상태가 되었다. 전국의 피난민들은 모두 다 "부산 영도다리에서 만나자."면서 뿔뿔이 헤어졌기에 이곳은 만남의 장소가 되었다. 운 좋게 고향 사람이라도 만나면 서로 부둥켜안고 부른 노래가 실향민들의 애창곡 〈꿈에 본 내 고향〉이었다.

가마니와 미군 담요를 둘러친 한복남의 도미도레코드사 임시 녹음실에서 함경도 나진 출신의 피난민 한정무가 1951년에 취입한 노래다. 전쟁의 고통을 뼈저리게 경험한 소설가 박완서는 "1950년대 우리 국민의 정서는 가족과 고향에 대한 그리움이 전부였다."고

부산항 세관의 귀환동포[역]

부산의 대표 피난민 마을[역]

회고한 바 있다.

1983년 눈물바다를 이루었던 KBS의 〈남북이산가족을 찾습니다〉 캠페인의 원조는 바로 영도다리였다. 가족을 찾는 안내 쪽지가 방송국 빌딩을 도배했듯이 당시에는 애달픈 사연들이 교각 난간을 가득 메웠다. 영도다리 아래 교각 주변에는 판잣집이 벌떼처럼 붙어 있어서 교하촌(橋下村)이라는 이름을 얻기도 했다.

피난민들은 낯설고 힘든 객지생활 속에서도 가족상봉의 한 가닥 희망을 붙들고 틈만 나면 영도다리로 몰려들었던 것이다. 다리 아래에 유난히 점집이 많았던 것은 언제쯤 상봉할지, 가족은 살아있는지, 초조해진 마음이 지푸라기라도 잡고 싶었기 때문이었으리라. 전성기에는 영도다리 아래 점집이 120곳이나 되었으며 마지막까지 명맥을 지킨 집은 '소문난 대구 점집'이었다. 지금은 영도대교 아래 유라리 광장에 '점바치골목기념관'이 있다.

영도다리 밑의 점바치들[원]

객지에서 무척이나 힘들고 지친 피난민들은 다리 위에서 뛰어내
리기도 했다. 많을 때는 하루 27명이 투신하여 '자살다리'라는 오
명을 얻었다. 자살 방지를 위한 궁여지책으로 "잠깐만!"을 곳곳에
붙였다. 외로움과 생활고로 시작한 자살이 강력한 단속으로 잠잠
해지더니 막상 한 많은 피난살이가 끝나고 휴전이 되자 다시 늘기
시작했다. 힘든 타향살이기는 했지만 부산생활 3년에 정이 들고
젊은이들은 사랑도 영글어 헤어질 수 없었기 때문이다. 영도다리
뿐만 아니라 태종대에서도 청춘남녀의 동반자살이 일어나곤 했다.
    서울 환도를 며칠 앞두고 작곡가 박시춘과 작사가 유호가 자갈치
시장에서 술잔을 나누면서 마음을 합해 만든 노래가 〈이별의 부
산정거장〉이다. 해질 무렵 출발하면 다음날 아침 서울에 도착하는
12번 열차에 피난민 애인을 떠나보내는 부산 아가씨의 비통한 마
음을 담아낸 이 노래는 가수 남인수의 절창으로 음반이 10만 장이

환도 선포 1953년 8.15[원]

나 팔렸다. 이처럼 경부선을 테마로 한 노래는 〈달리는 경부선(최갑석)〉 〈울리는 야간열차(반야월)〉 〈경부선 밤 열차(명국한)〉 〈비오는 부산역(김창옥)〉 등 30여 곡에 이른다.

지금은 영도다리 아래에 세워진 피난민 모습의 가족 동상에 "영도다리 거~서 꼭 만나재이~"라고 부산 사투리가 새겨져 있다. 오늘날 OECD(경제협력개발기구) 37개국 중 자살 1위국이 된 우리나라에서 가장 자살을 많이 하는 장소인 마포대교에는 "여보게 친구야, 한 번만 더 생각해보게나."라고 새겨진 자살예방 조형물이 설치되어 있다.

영도경찰서 소속의 영도다리 초소는 수영을 잘하는 경찰관들이 비상대기하면서 근무하는 자살방지 특공대였다. 1960년대 초까지 10년간 영도경찰서에 근무했던 박을룡 경사는 수영의 달인이라 3백 번 이상 바다에 뛰어들었으며 그가 구출한 사람만도 248명이라

현인 노래비와 동상[역]

는 신문기사가 있다.

언젠가 초원복집에서 "이번에 YS가 대통령이 안 되면 우리 모두 영도다리에 빠져죽자."는 밀담이 정치파장을 일으켰지만, 부산에서는 "영도다리에 가서 죽어라."는 말이 너무나 귀에 익은 소리다.

다리가 처음 개통되었을 때는 나루를 건넌다고 해서 도진교(渡津橋)로 시작했다가 여러 이름을 거쳐 지금은 영도대교라고 하지만, 그래도 가장 친숙한 이름은 영도 출신 가수 현인의 노래 〈굳세어라 금순아〉에 나오는 '영도다리'다. 현인의 노래비와 동상이 영도다리 옆에 세워져 있다.

영도는 신석기 시대의 동삼동 패총이 있는 것으로 보아 부산에서 가장 먼저 사람이 살기 시작한 곳으로 추정되며 태종대, 봉래산, 감지해변 산책로 등 아름다운 경관이 많아 영도 8경으로 유명하지만, 최근에는 첨단 해양도시로 변신하고 있다.

광안대교, 박재봉[VB]

'세븐 브리지 랜드마크'의 도시와 〈부산행진곡〉

　부산은 육로의 교통체증을 막기 위해 바다 위를 달리는 다리가 유난히 많은 편이다. 영도대교, 광안대교, 부산항대교, 남항대교, 을숙도대교, 신호대교, 가덕대교 등 7개의 다리를 관광 상품화하는 '세븐 브리지 랜드마크'가 추진 중이다.

　'다이아몬드 다리'라고 알려진 광안대교는 2021년 CNN이 선정한 한국의 아름다운 관광명소 4위에 올랐다. 광안대교는 건물 외벽을 스크린 삼아 10만 가지가 넘는 색상의 첨단 조명 시스템으로 다양한 영상을 표현하며, 영도대교는 야경 분수와 수변 산책로를 가설하고, 남항대교에는 음악에 따라 곡사 분수를 연출하게 된다.

다리를 따라 해안선을 달리다 보면 일직선이 아니라 나선형 구조가 많아 롤러코스트를 타는 듯 짜릿함도 느낄 수 있다. 육지에서 바다를 내다보는 것이 아니라 바다에서 부산 전경(全景)의 파노라마를 바라보는 맛에 출퇴근의 러시아워가 드라이브코스처럼 느껴지기도 한다.

1956년 히트한 방운아의 노래 〈부산행진곡〉 가사 3절에는 대중들의 인기 관광지가 소개되고 있다.

"봄바람 동래온천 여름 한철 송도요, 달마중 해운대도 부산 항구다. 가느니 못 가느니 종(終)열차에 베루(bell)가 운다. 경상도 사투리 아가씨들의 인사가 좋다."

광안대교와 천마산 야경, 정해진 [VB]

오륙도와 부산의 등대

　부산의 랜드마크이자 국가 지정 문화재 명승지 24호인 오륙도는 동해와 남해를 구분하는 기준점이므로 부산은 동해와 남해가 살을 맞대는 곳이다. 부산은 동해와 남해의 해안선을 모두 갖고 있기 때문에 송정해수욕장에서 일출을 맞이하고 다대포해수욕장에서 일몰을 즐길 수가 있다.

　1740년에 편찬한 『동래부지(東萊府誌)』에 따르면 "기암절벽 바위섬이 동쪽에서 보면 6개, 서쪽에서 보면 5개로 보이기 때문에 오륙도라고 한다."고 기록되어 있다.

　육지에서 가까운 순서대로 보면, 세찬 해풍과 거친 파도를 막아주는 방패섬, 소나무가 무성한 솔섬, 갈매기를 노리는 독수리들이

오륙도 돌아가는 배-김정훈 [VB]

모여든다고 하여 수리섬, 뾰족한 송곳처럼 날카로운 바위가 많은 송곳섬, 커다란 동굴이 있다고 하여 굴섬, 육지서 가장 멀지만 밭처럼 평탄하다고 해서 밭섬(1937년 등대가 설치된 후 등대섬) 등 6개인데, 방패섬과 솔섬은 아래 부분이 이어져 있어서 썰물 때는 섬이 5개로 변한다.

　부산으로 오는 모든 선박은 오륙도를 지나야만 입항할 수 있기에 조용필의 노래 〈돌아와요 부산항에〉에는 "오륙도 돌아가는 연락선마다……"라는 가사가 있다. 옛날 밀수꾼을 잡던 경찰관과 세관원들은 오륙도 근처에 잠복하곤 했다. 요즘 젊은이들 사이에서는 '오륙도'가 '56세까지 직장에 다니면 도둑'이라는 자조적인 은어로 통용되기도 한다. 부산 향토주류업체인 대선주조가 1991년 곡물혼합비율을 낮춘 깨끗한 맛의 보리소주 '오륙도'를 출시했지만 크게

오륙도 등대 [VB]

성공하지는 못했다.

끝없이 펼쳐진 바다를 내려다보며 하늘 길을 걷는 오륙도 스카이워크에 입장하려면 유리바닥 손상을 막기 위해 덧신을 신어야 한다. 코로나19의 방역 거리 두기가 아니라도 유리 한 장에 5명 이상 모이는 것이 금지되어 있다. 스카이워크에서 육지를 되돌아보면 유채꽃과 수선화가 양탄자처럼 깔려 있다.

부산에는 영도와 가덕도, 오륙도에 유인(有人) 등대가 있다. 태종대 남쪽 기암절벽 위의 영도등대는 1906년에 설립된 부산 최초의 등대이다. 1909년 말에 건립된 가덕도 등대는 붉은 벽돌과 미송을 사용한 서양식 건물이며 대한제국 황실 상징인 오얏꽃 문양을 새겨 넣었다. 군사지역이라 민간인 출입이 제한적이지만 건물 사방

가덕도 등대 [역]

에서 바라보는 경관이 일품이며 부산시 유형문화재 제50호로 지정
되어 있다.

　1937년부터 바닷길을 밝히기 시작한 오륙도등대는 81년 간 등
대지기가 관리하다가 2019년 4월부터 무인화로 바뀌었다.

　요즘은 디지털화한 항법장치 덕분에 등대의 효용가치가 떨어지
기는 했지만 태평양을 드나드는 뱃길을 제대로 안내하기 위해 등
대원이 상주하고 있다. 당당한 공무원 신분인데도 ‘등대지기’라고
부르는 것이 너무 외롭고 쓸쓸해 보이며 비하하는 것 같아서 ‘항로
표지관리원’이라는 제대로 된 이름을 찾았다. 1988년부터 등대도
‘항로표지관리소’로 명찰을 바꾸었다.

부산에서 사랑받는 걷기여행길과 국도들

문화체육관광부와 한국관광공사는 2020년 '사랑받는 걷기여행길' 실태조사에서 부산 갈맷길을 제주 올레길에 이어 2위로 선정했다. 범어사 문화체험 누리길은 16위에 올라 있다.

문체부는 우리나라의 다양한 걷기 코스와는 별도로 동해와 남해, 서해, 비무장지대를 거쳐 전국을 한 바퀴 도는 4,500km의 '코리아 둘레길'을 조성하면서 그 첫 번째 코스로 2016년 동해안의 해파랑길을 열었다. 해와 바다를 벗 삼아 걷는 명품 여행길 '해파랑길'의 출발점은 오륙도이다.

오륙도 해맞이공원에서 동해안을 따라 관동팔경을 구경하며 강원도 고성 통일전망대까지 50코스 770km는 스페인 산티아고가 부럽지 않은 길이다. 해파랑길은 신라시대 화랑(花郎)의 순례길이자 송강 정철의 '관동별곡' 탄생지이다. '해파랑'은 떠오르는 해와 동해안 바다의 파랑색, 그리고 '함께'라는 뜻의 조사 '랑'을 합해서 작명한 이름이다.

코리아 둘레길의 두 번째 코스인 남파랑길도 오륙도 해맞이공원에서 출발하여 해남 땅끝마을 토말 탑까지 이어지는 90개 구간 1,470km로 우리나라 최장 명품길이다. 한류길, 한려길, 섬진강 꽃길, 낭만길, 순례길 등 5개 주제의 테마로 구성된 남파랑길은 한려해상과 다도해국립공원을 끼고 있어서 역사와 문화, 음식, 풍광을 골고루 즐길 수 있다.

2020년 10월 31일 개통한 남파랑길은 남해안의 쪽빛(藍) 바다와 함께 걷는 길이다. 남파랑길 끝 해남에서 서해안을 따라 인천 강화까지의 '서해랑길'과 강화에서 강원도 고성까지 이어지는 'DMZ평화의 길'도 이어질 예정이다.

이기대 해안산책로 [VB]

부산에서 동해안을 따라 함경북도 온성까지 1,192km 도로가 7번국도이다. 지금은 강원도 고성까지 484km만 이용 가능하다. 이 길은 러시아와 중국, 카자흐스탄을 거쳐 벨라루스까지 이어진다. 고산자 김정호가 포항 호미곶을 7번이나 찾아 반도의 동쪽 끝임을 확인했기에 7번국도가 되었다고 한다. 한반도가 호랑이 모습이라 호미(虎尾)는 호랑이 꼬리에 해당하는 곳이다. 호미곶은 한반도의 동쪽 땅끝이어서 해돋이 명소로도 유명하다.

동해안에 7번국도가 있다면 남해안과 서해안에는 77번국도가 있다. 2번국도의 시발점인 부산 옛 시청교차로에서 여수, 고흥, 진도, 태안 등 남해안과 서해안을 거쳐 파주 자유로 종점까지 우리나라 최장의 1,258km에 이르는 도로이다.

통일이 되면 개성까지 연결된다.

코로나 바이러스 감염증으로 사람과 마주치는 걷기여행이 힘들게 되자 이 두 길을 자동차로 달리면서 동쪽 끝 마을인 호미곶을 비롯하여 남쪽 끝인 해남군 송지면 송호리와 서쪽 끝인 태안군 소원면 모항리 등 우리나라 땅끝마을 전체를 섭렵하는 드라이브 스루가 인기를 얻고 있다.

사연 많고 풍광 좋은 섬 트래킹은 보너스다.

걷고 싶은 부산의 1000리 길

또한 부산시는 부산의 대표 걷기 길인 700리 갈맷길에다 피난수도길, 산복도로길, 근대산업 유산길, UN평화의 길 등 도심 속의 역사문화유적지 300리를 새롭게 추가하여 '걷고 싶은 1000리 길'을 만들고 있다. 2030년까지 1조 원 이상을 투입하여 걷기에 불편한 지하철 환풍구와 높은 턱의 경사를 낮추고, 명소의 유래와 비경을 알리는 해설 프로그램도 설치하기로 했다.

부산시는 역사와 문화, 쇼핑, 음식을 함께 즐길 수 있는 도심 속 걷기 프로그램을 매주 토요일 1만 원 회비로 진행하고 있다. 남구의 평화로(다큐), 동구 타오르길(청춘물), 수영구 짝지길(로맨스), 중구 지름길(예능), 영도구 지림길(스릴러), 해운대구 영화축제길

절영해안산책로-정을호[VB]

아미르공원[VB]

대저생태공원 캠핑장[VB]

회동수원지[VB]

(영화) 등 6개 코스에는 다양한 캐릭터의 문화해설가가 한 편의 연극을 보여주듯 안내해준다. 산과 바다, 마을이 어깨를 나란히 하고 있는 부산은 걷기여행의 종합선물세트다.

그런가 하면 부산시는 코로나19의 영향으로 남과의 접촉이 없이 홀로걷기에 좋은 트레킹 챌린지 코스 5곳도 새롭게 마련했다. 금정산, 영도 절영해안 산책로, 송정해변 갈맷길, 장산, 황령산 등은 지친 일상을 달래주는 에코 힐링 코스로 새롭게 부상하고 있다. 한국관광공사가 2020년 6월 유동인구가 밀집한 기존의 관광지와는 달리 안전하고 고즈넉한 언택트 관광지 100곳을 선정했는데, 그중 10곳이 부산에 있다. 교외의 탁 트인 야외공간에 마련된 아미르 공원, 대저 생태공원, 기장 치유의 숲과 안데르센 공원, 회동수원지 등 세속과 등진 곳이라, 자연에 가까이 다가가면 병원과 멀어질 수 있다. 특히 용수 공급을 중단한 성지곡수원지와는 달리 부산시민의 상수원지인 회동수원지는 오랫동안 시민의 접근이 금지되었기에 잘 알려져 있지는 않지만 새롭게 조성한 맨발 황톳길, 편백림 산책로, 습지 관찰 탐방로로 들어가면 무릉도원이나 다름없다.

2017년 기장 해파랑길에 문을 연 아난티코브 리조트는 유명 관광지나 휴양지로 멀리 떠나는 대신 인근 호텔에서 바캉스를 즐기는 이른바 '호캉스'를 주도하는 부산의 새로운 명물로 떠오르고 있다. 기장의 한적한 만(Cove)에 5,400평이나 되는 국내 최대 규모의 고급 휴양시설 힐튼호텔과 아난티 펜트하우스가 나란히 자리하고 있다. 특히 코로나19 때문에 휴가를 해외에서 보낼 수 없게 된 관광객들이 대거 부산으로 몰려들어 뜻밖의 호황을 누리고 있다. 이밖에 부산의 호캉스 장소로는 파라다이스, 힐튼, 파크 하이야트, 롯데 호텔 등이 인기가 높다.

부산의 경관을 대표하는 해운대(海雲臺)

바다를 끼고 있는 부산은 경관이 빼어난 높은 지대가 유난히 많다. 주변 경관을 내려다보는 지역을 대(臺)라고 하며 해운대, 태종대, 이기대, 몰운대, 신선대, 첨이대, 시랑대, 오랑대, 연가대, 자성대, 오륜대, 학소대, 강선대, 겸호대 등 20여 곳에 이른다.

해운대는 신라시대 최초의 조기 해외유학생 최치원의 자(字) 해운(海雲)에서 나온 이름이다. 그는 12살 때 당나라에 가서 "남이 백을 할 때 나는 천을 한다(人百己千)."는 비상한 각오로 노력하여 18살 때 과거에 합격했으며 '황소의 난' 때 '토황소격문(討黃巢檄文)'을 지어 사회 안정에 기여하고 당(唐) 황실의 위상을 높임으로써 희종 황제의 칭송을 받았다.

중국에서 여러 관직을 거친 후 귀국한 그는 신라말기의 혼란한 사회를 바로 잡기 위해 각종 개혁안을 제시했으나 받아들여지지 않자 이곳 해운대를 비롯하여 의성, 하동, 합천 등을 주유하며 은거생활을 했다.

동백섬 남쪽 바위에 그가 직접 음각으로 썼다고 하는 '海雲臺'라는 글씨가 세월에 마모되어 흐릿하게 보인다. 특히 그는 아름다운 해안선, 하얀 모래, 푸른 솔밭, 동백 숲 가득한 해운대를 예찬한 글을 많이 남겼다.

해운대-이홍[VB]

〈동국여지승람〉 동래현 편에 "해운대는 산이 바다 속에 든 것이 누에머리 같다. 겨울과 봄 사이 동백꽃이 땅에 쌓여 지나가는 말발굽에 밟히는 꽃이 3~4치나 된다."고 멋지게 묘사하고 있다.

달 밝은 밤에 해운대에서 벗이나 임과 술잔을 나누면 5개의 달을 볼 수 있다고 한다. 하늘의 달(天月), 바다의 달(海月), 술잔의 달(樽月), 임의 눈동자에 비친 달(眼月), 마음속에 간직한 달(心月)이 그것이다.

해운대는 여름철 피서지로 정평이 나 있지만, 매년 1월 초에 열리는 해운대 북극곰축제가 새로운 스포츠로 주목받고 있다. 5천 명에 이르는 세계 각국 사람들이 이른 아침 웃통을 벗고 해운대의 싸늘한 겨울바다에 뛰어드는 모습을 보면 건강과 활력이 솟는다. 물에 들기 전에 흥겨운 음악에 맞춰 신나는 댄스 율동으로 준비운동을 하는 재

해운대 대보름 강강술래-정재교 [VB]

미도 쏠쏠하다. 영국 BBC는 33회째를 맞는 2020년 해운대 북극곰 축제를 세계10대 겨울 이색 스포츠로 선정했다.

해운대는 산과 강, 바다, 온천을 모두 갖춘 사포지향(四抱之鄕)이라서 영화촬영의 최적지로 꼽히고 있다. 2009년 개봉된 한국영화의 40%가 부산에서 촬영되었다. 새로운 것과 오래된 것이 공존하는 부산은 거대한 영화 세트장인 셈이다. 〈해운대〉〈국제시장〉〈변호인〉〈범죄와의 전쟁〉〈태풍〉 등 20여 편이 이곳을 배경으로 제작되었으며, 부산은 이미 세계 속에 '영화의 도시'로 각광받고 있다.

2005년 APEC(아시아태평양경제협력체) 정상회담이 부산에서 열리면서 회의장이었던 누리마루 하우스가 동백섬에 새로운 볼거리를

기네스북에도 오른 해운대 해수욕장 파라솔, 류성열

추가했다. 순수 우리말인 누리는 '세계'이고 마루는 '정상'이라는 뜻
이다. 3층으로 된 누리마루의 컨셉은 한국 전통건축인 정자를 현대
화하면서 지붕은 동백섬의 능선을 형상화했다.

특히 대청마루에 해당하는 테라스에서는 오륙도와 달맞이 언덕, 광
안대교를 바라볼 수 있어 각국 정상들로부터 세상에서 가장 아름다
운 회의장으로 칭송을 받았다.

2019년 한·아세안 정상회의 때는 건너편 엘시티 101층 모든 건물
에 축하조명을 밝힘으로써 해운대 야경을 더욱 아름답게 수놓았다.
해운대 마린시티 야경은 홍콩의 마천루를 그대로 옮겨 놓은 것 같은
느낌이 든다.

누리마루, 권기학 [VB]

엘시티 랜드마크 타워에 있는 높이 384m의 전망대는 123층 555m의 서울 잠실롯데월드 타워 다음으로 높다. 56초 동안 초고속 엘리베이터로 전망대를 올라갈 때는 열기구를 타고 하늘을 오르는 기분을, 내려갈 때는 잠수정을 타고 바다 속을 여행하는 분위기를 연출하고 있다. 전망대에서 투명유리로 아래를 내려다보면 공중을 떠다니는 것 같은 짜릿함을 만끽할 수 있다. 일반적으로 50층 이상에 높이 200m가 넘으면 초고층 건축물로 규정하는데, 전국 초고층 건물 114개 중에서 부산은 가장 많은 35개를 갖고 있는 마천루의 도시다. 101층의 엘시티는 국내 최고층 아파트다.

해발 634m의 장산을 중심으로 형성된 해운대는 여름철 해수욕장 뿐만 아니라 가장 많은 국제회의와 컨벤션 행사, 각종 전시회, 부산국제영화제 같은 대규모 축제가 1년 내내 이어지므로 해운대가 부산

222

을 국제 관광도시로 떠받치고 있는 셈이다.

원래 해운대는 외지 피서객들이 많아 '서울의 해운대'라고 불리기도 했다(경향신문, 1970. 7. 27). 한때 부산의 중심이었던 광복동, 동광동의 중구가 이제는 부산 전체 인구의 1.4%인 데 비해 외곽의 한적한 마을이었던 해운대구 인구가 12.3%일 정도로 인구 유입이 급증하는 인기주거지역이다

해운대에 오면 바닷물만 찾는데, 실은 온천이 더 유명하다. 신라 진성여왕이 자주 찾았다고 하는 해운대 온천수는 무색투명한 알칼리성 라듐 성분이라 피부병, 위장병, 부인병에 특효가 있다고 알려져 왔다. 시 당국에서 뽑아 올린 온천수 양탕장(揚湯場)에서 파이프로 호텔이나 공중탕에 공급해주고 있지만 일제 강점기부터 운영하던 할매탕이나 청풍장 등은 직접 탕원을 개발한 자가 온천수를 쓰고 있다.

해운대의 먹거리는 대부분 해산물이지만 해운대암소갈비는 언양불고기 못지않게 유명하다. 옛날 임금이나 고관들에게 바치는 소고기는 부드러운 육질을 위해 뙤약볕에서 일을 시키지 않고 우리 안에 가두어둔 소를 식재로 사용했다고 한다. 암소갈비는 암컷이라는 뜻이 아니라 어두운 곳, 즉 암소(暗所)에서 키운 소라는 뜻이다.

기네스북의 해운대

부산 해운대는 기네스북에 올라있는 3가지 기록을 갖고 있다. 우선 2008년 8월 1일 해운대 해수욕장의 유료 파라솔 7,937개 기록을 계속 유지하고 있다. 햇빛만 보면 선탠을 즐기는 서양 사람들의 속성을 감안하면, 부산이 아니고서는 이 기록을 갱신하기 어려울 것으로 보인다.

또 하나는 세계에서 가장 큰 백화점인 신세계 센텀시티. 매장 면적이 8만 9천 평으로 2위인 뉴욕의 메이시스 백화점보다 2만 9천 평이 더 크다. 신세계 부산센텀시티점은 영화관, 서점, 어린이 직업 체험 공간 등 '체험 공간'이 전체 백화점 매장의 30%를 차지한다. 체험 공간 덕분에 이 백화점 방문객의 평균 체류시간은 다른 지점 방문 체류시간의 2배에 가까운 5시간이나 된다.

그러나 롯데, 현대, 신세계 등 골리앗 같은 대형 백화점이 들어옴으로써 부산사람들의 추억과 애환이 겹겹이 쌓여 있는 토종 백화점 미화당, 태화, 유나, 세원, 신세화, 부산백화점이 흔적도 없이 사라져 버렸다.

마지막으로 영화 복합문화공간인 '영화의 전당' 건물은 세계 최대의 멋진 캔틸레버 지붕을 갖고 있다.

문탠로드와 김성종 추리문학관

해운대해수욕장에서 송정해수욕장으로 넘어가는 구불구불 15고 개의 와우산 15곡도(曲道)가 그 유명한 '달맞이고개'다. 해운대 백 사장의 선탠(Suntan)과는 달리 벚꽃과 송림 사이로 바다를 구경하 며 달리는 8km의 환상적인 드라이브 코스를 '문탠로드(Moontan Road)'라고 한다. 숲길 사이로 교교한 달빛을 맞으며 연인과 촉촉 한 흙길을 걸으면 프로포즈가 필요 없을 것 같다.

달맞이고개는 울창한 해송과 바다, 달이 어우러진 멋진 풍광으로 대한팔경에 올라 있다.

일출과 달맞이 구경의 명소인 해월정(海月亭)에 오르면 저 멀리 동 해와 남해가 만나는 바다를 내려다볼 수 있다.

옛날 한 처녀가 와우산에 소를 먹이러 갔다가 소를 잃어버렸는데 어떤 총각이 밤늦게 소를 몰고 찾아왔다고 한다. 첫눈에 반한 두 남녀는 보름달이 뜨면 와우산에서 만나자고 약조했다는 것. 처녀 는 달을 보며 임을 만나러 보름날 밤마다 나갔으나 총각은 한해가 다가도록 나타나지 않았다. 실망한 처녀가 마침내 자살하려는 순 간 총각이 과거시험에 장원급제하여 나타남으로써 극적인 해후를 했다는 이야기가 전해진다.

달맞이 고개 중간에 우리나라뿐만 아니라 세계에 하나밖에 없는 김성종의 추리문학관이 있다. 김내성에 이어 한국의 대표 추리소 설가로 꼽히는 김성종이 추리문학의 보급과 발전을 위해 1992년 에 세운 우리나라 제1호 전문 도서관이다. 〈여명의 눈동자〉로 유 명해진 김성종은 1.4후퇴 때 13살의 소년 피난민으로 어머니와 동 생을 잃고 부산과 첫 인연을 맺었으며, 1980년대에는 부산일보에

문탠로드[VB]

〈안개 속에 지다〉와 〈백색인간〉을 연재하면서 부산으로 이주하여 출판사도 내고 계간지 《추리문학》도 발간했다.

건물 입구의 커피점은 코난 도일의 작품에 등장하는 탐정가의 대명사 '셜록 홈즈의 집'이다. 북 카페와 열람실에는 추리문학서뿐만 아니라 일반도서까지 4만여 권이 내방객들의 손과 눈을 기다린다. 4층은 김성종 작가의 집필실이 있으며 추리소설 창작교실, 독서토론회, 문화강좌 등을 열고 있다.

송정 바다에서 떠오르는 달을 가장 먼저 맞이한다는 달맞이고개에 최근 유명 갤러리가 들어섬으로써 복합문화공간으로 떠오르고 있다. 서울 청담동에 지점까지 낸 부산 미술시장의 개척자 조현화랑, 갤러리 문턱을 낮추어 미술품 소장의 대중화에 앞장선 맥화랑, 유럽 경험을 토대로 국제교류전에 특장을 발휘하는 오션갤러리가 돋보인다.

동일고무벨트가 후원하는 고은사진미술관은 지방 유일의 사진 전

김성종추리문학관[VB]

문 미술관으로서 사진교육과 음악회 활동도 한다. 특히 코로나 바이러스의 악재 속에서 한국미술계를 빛낸 곳은 부산비엔날레와 아트부산 디자인전이었다.

　매년 5월이면 우리나라 최대 아트페어인 '부산아트' 전시회를 찾아 국내외 미술고객들이 해운대에 몰려온다. 2021년 부산아트에는 관람객 8만 명이 몰리면서 거의 완판에 가까운 320억 원어치의 미술품이 거래되었다. 코로나19로 해외 여행길이 막히자 집안 인테리어에 관심이 많아지면서 명품가방보다 미술품을 통해 안목과 취향을 표현하는 사람들이 늘어나고 있기 때문이다.

　해운대구청에서는 문학과 예술이 서로 기대고 있는 달맞이 언덕을 오르내리며 다양한 볼거리를 안내하는 갤러리 투어를 운영하고 있다. 을숙도의 현대미술전시관에서부터 도심 여러 갤러리를 거쳐 해운대의 부산시립미술관과 벡스코 제2전시장까지 전시장 구석구석마다 방문객이 줄을 이었다.

달맞이 언덕 끝자락에는 음식 맛보다 전망이 더 좋은 프랑스 식당 메르씨엘이 있다. 불어로 메르는 바다이고 씨엘은 하늘이라는 뜻이다. 낮에는 탁 트인 망망대해를 바라보고, 밤에는 해운대와 광안대교의 환상적인 야경을 즐기면서 먹는 요리의 맛은 오랜 추억이 될 것이다. 메르씨엘은 프랑스 관광청이 선정한 2019년 세계 맛집 1000곳에 들어 있다.

달맞이고개의 한국식 애프터눈 차를 파는 '비비비당'은 단호박 빙수와 단호박 식혜, 계절 꽃차로 유명하다. 불가에서 가장 높은 하늘을 나타내는 비비비당은 정갈한 한옥식 인테리어가 돋보여 외국인들에게도 인기가 높다.

청사포 이야기

달맞이 고개를 넘어 송정 방향으로 가다가 오른쪽 샛길로 조금 내려가면 '푸른 모래 포구'라는 청사포(靑沙浦)가 나온다. 마라톤 선수생활을 접고 가수로 변신한 최백호는 학창시절 기장에서 동래로 통학하면서 받았던 청사포의 아름다운 감동을 되살려 〈청사포〉라는 노래를 작사 작곡하여 애잔하게 불렀다.

"해운대 지나서, 꽃피는 해운대를 지나서, 달맞이고개에서 바다로 무너지는 청사포, 언제부터인가 푸른 모래는 없고, 발아래 포구에는 파도만 부딪치어, 퍼렇게~ 퍼렇게 멍이 드는데……."

부산에는 바다 위를 걷는 투명유리의 짜릿한 '하늘 산책로' 스카이 워크(Sky Walk)가 세 군데 있는데 우리나라 최장인 송도 구름

청사포, 미포[VB]

산책로, 해안절벽의 오륙도 스카이워크, 푸른 용이 솟구쳐 오르는 청사포 머릿돌전망대가 그것이다.

청사포 앞바다의 생선 맛이 유명하여 이곳은 횟집이 성황을 이룬다. 원래 청사포지명은 '푸른 뱀'이라는 청사(靑蛇)였다. 고기잡이 나간 어부가 태풍으로 목숨을 잃고 용궁에 갔는데, 아내를 그리워하여 시름시름 앓자 용왕이 푸른 뱀을 보내어 아내를 용궁으로 데려왔다는 전설이 있다. 청사포에는 실제로 고기잡이 나갔다가 귀가하지 않는 남편을 기다렸다는 곳에 수령 350년이 넘는 소나무 망부송(望夫松)과 바위 망부암이 있다.

6.25전란 때 김일성이 38선을 넘어 남침하면서 후방지역 교란을 위해 소련제 군함을 앞세워 6월 26일 부산 침투를 시도했는데, 이와 같은 군사정보를 입수한 우리해군 백두산함이 청사포 앞바다에서 선제 포격을 가해 북한군 600명을 수장시킴으로써 청사포는 대

청사포 등대[VB]

한민국 승전 1호 전적지가 되었다.

부산의 3대, 해운대 태종대 몰운대

영도의 최남단에 있는 태종대는 삼국통일의 위업을 이룬 태종 무열 왕이 전국을 순회하던 중 이곳의 빼어난 기암절벽에 매료되어 활을 쏘며 즐겼다는 곳이다.

그런가 하면 조선 태종이 이곳에 와서 기우제를 지냈던 곳으로도 알려져 있다. 가뭄이 들면 동래부사가 이곳에 와서 기우제를 지냈으 며, 모심기 철인 6월 초 내리는 단비를 태종우라고 한다.

우리나라 명승지 문화재 17호로 지정된 태종대에는 깎아 세운 듯 한 250m의 벼랑 절벽과 울창한 해송이 대한해협을 마주보고 있다. 빼어난 자태와 아름다운 경관에 심취된 관광객들이 황홀경에 빠져

태종대[VB]

가끔씩 바다로 뛰어내린다고 하는 이른바 '자살바위'도 있다. 신발이 가지런히 놓여 있으면 일단 수색에 나섰다고 한다. 한때 자살바위 근처에 구명사(救命寺)라는 암자가 있었으나 관광지구 정비공사로 없어지고 대신 태종대 입구에 생명의 소중함을 강조하기 위해 한복 차림의 어머니가 남매를 껴안고 있는 가족상을 세워두었다. 자살바위의 오명을 씻기 위해 1976년 건립된 하얀 모자상은 조각가 전뢰진 홍익대 교수의 작품이다.

태종대는 6.25 전쟁 중 북한으로 침투해 특수전을 벌이다 전사한 군인들을 위한 '영도 유격부대 전격지비'와 한국수산개발공사의 남해호에 승선했다가 이역만리에서 숨진 선원들을 위한 '원양어업 개척비', 1969년 해안작전도로 개설 중 숨진 공병단 4명을 위한 '순직 장병 추모비'가 있다.

태종대는 군사요충지라서 일제 강점기부터 1960년대까지 민간인

이기대 갈맷길(부산 남구청 제공)

의 접근이 금지되었다. 태종대의 감춰진 속살을 보려면 황칠나무 숲
이 무성한 생태탐방로를 걸어야 한다. 중국 진시황의 명을 받고 불로
초를 구하러 온 서복이 찾은 삼신산은 부산의 봉래산, 백양산, 천마
산이었다고 한다.

  그 후 제주도에 가서 찾은 불로초도 결국 황칠나무였다. 황색의 천
연염료를 제공하는 황칠나무는 항균과 항암에 효과가 있어서 '산삼
나무'라고 하니 이 보다 더 좋은 힐링 코스가 어디 있으랴.

  스리랑카 정부에서 기증한 부처님 진신사리(眞身舍利)를 모시고 있
는 태종사 부근은 우리나라 최대의 수국 군락지이다. 일본, 중국, 태
국, 네덜란드 등에서 온 200여종 5천여 그루의 수국이 꽃 대궐을 이
루는 6월말에는 석탄일의 연등과 어울리는 수국축제가 장관이다.

  태종대가 있는 영도에는 신선동, 봉래동, 영선동, 청학동 등 신선
과 관계되는 지명들이 많다.

영도 섬 한가운데 있는 원추형 모습의 봉래산은 방장산, 영주산과 함께 삼신산의 하나로 신선이 사는 곳을 뜻한다.

몰운관해(沒雲觀海)와 을숙도, 그리고 정운의 순국

해운대, 태종대와 함께 부산의 3대에 해당하는 몰운대(沒雲臺)는 낙동강 하구와 부산 앞바다가 만나는 곳이라 구름과 안개가 잦아 섬이 운무 속에 사라져 버린다고 해서 붙여진 이름이다. 동래부사였던 조엄은 조선통신사 기행문 〈해사일기(海槎日記)〉에서 "몰운 섬은 조용하고 아리따운 여인이 꽃 속에서 치장한 것 같다."고 찬탄했다.

부산의 맨 끝자락인 다대포해수욕장에서 몰운대에 이르는 다대포해안산책로는 군사작전지역이라 한시적으로 개방하기는 하지만, 세

몰운대[VB]

몰운대 쥐섬[VB]

속의 먼지를 털어내기에 이보다 더 좋은 장소를 찾기 어렵다. 허준이
『동의보감』에서 "약으로 몸을 보하는 것(藥補)보다는 음식으로 보하
는 것(食補)이 낫고, 음식보다는 걷는 보약(行補)이 낫다."고 한 말에
공감이 가는 곳이다. 갈대숲 너머로 석양의 붉은빛 하늘에 비친 철새
들의 군무는 경관이 워낙 아름다워, 몰운대서 바다를 내려다보는 몰
운관해(沒雲觀海)를 다대포의 제1경으로 꼽았다.

　동해와 남해가 만나는 다대포는 일출(日出)과 일몰(日沒)을 모두 볼
수 있는 명승지이다. 도시철도 1호선의 다대포해수욕장에서 내려 몰
운대, 다대포해변공원, 고우니생태길, 노을마루길을 거쳐 아미산전
망대에 이르는 다대포 선셋로드는 부산 최고의 일몰 선물이다.

　아미산전망대는 낙동강 하구의 모래섬이나 철새, 낙조 등을 한 눈
에 바라볼 수 있는 가장 좋은 조망 포인트이다. 을숙도, 명지, 하단,
장유는 물론 가덕도와 멀리 거제도까지 노을 실루엣을 보면 무릉도
원이 부럽지 않다. 2011년 '부산다운 건축상' 대상을 받은 3층 전망

을숙도_선셋투어[VB]

대에는 강과 바다가 어우러져 만들어낸 갖가지 지형과 지질, 다양한 생물들이 잘 전시되어 있다.

　새가 모여드는 깨끗한 섬이라는 뜻을 가진 을숙도(乙淑島)는 갯벌과 철새 도래지로 유명하며, 을숙도 생태탐방로는 명품 둘레길이다. 사계절 내내 갯벌과 갈대밭이 우거져 철새들의 먹이가 풍부한 낙동강 하류 철새 도래지 전체가 천연기념물 제179호로 지정되어 있다. 사람과 자연, 새가 함께 하는 낙동강 하구 에코센터 2층 탐조전망대에서는 망원경으로 철새들의 일거수일투족을 손바닥처럼 관찰할 수 있다. 육지도 바다도 아닌 갯벌은 각종 오물을 정화하는 특수생태계이므로 '자연의 콩팥'이라고 하여 독일은 국립공원으로 지정하여 보호하고 있다.

　지난 1991년 3월 구미공단의 두산전자 페놀 유출사건 이후 환경운동연합, 습지와 새들의 친구, 녹색연합 등 환경단체가 신평, 장림, 다대포, 하단 등 사하구 일대를 지키느라 애쓰고 있지만 명지대교,

을숙도 가을[VB]

남항대교, 명지터널 등 개발에 밀려 갯벌과 갈대숲은 많이 사라져 버렸다.

7백리 낙동강의 도착지인 을숙도에 동시대 미술을 담아내는 부산현대미술관이 2018년 들어섰다. 생태도래지답게 건물 외벽에는 국내 자생의 175종 식물이 수직정원을 이루고 있다. 프랑스 식물학자이자 아티스트인 패트릭 블랑의 작품으로 2018년 부산 10대 히트상품 1위를 차지했다.

포구 따라 알록달록한 건물이 이태리 베네치아의 무라노 섬을 닮았다고 하여 '부네치아'로 불리는 장림포도 이 지역에 있다. 16세기까지는 몰운대가 섬이었으나 낙동강 700리를 따라 내려온 토사 퇴적으로 다대포와 연결되면서 육지로 변했다.

이곳은 대마도와 가까워 왜구의 노략질이 심했으며, 임진왜란 때는 충무공 이순신의 최측근이었던 충장공 정운(鄭運)이 순직한 곳이다. 전라도 영암 출신인 충장공은 "몰운대의 雲과 내 이름 運의 발음

정운공 순의비[VB]

이 같은 것으로 보아 내가 이곳에서 사라질 것이다(我沒此臺)."라고 예언했다고 한다. 정운은 전라좌수사 이순신에게 경상도를 구출하기 위한 출전을 이끌어냈으며 옥포와 한산도 승전을 거쳐 부산포해전서 적선 100여 척을 격파하는 큰 전과를 올리고 적탄에 순절했다. 비보를 접한 이순신은 "국가가 오른팔을 잃었다."고 비통해 했다. 몰운대에는 정운공순의비(鄭運公殉義碑)가 세워져 있다.

왜장을 끌어안고 바다로 뛰어든 두 기생

해운대, 태종대, 몰운대에다 이기대와 신선대를 넣어 부산 5대로 꼽는다. 이기대(二妓臺)는 임진왜란 때 수영성을 함락시킨 왜군이 경치 좋은 이곳에서 승전 기념으로 술잔치를 벌였을 때 두 기생이 논개처럼 왜장을 끌어안고 바다로 뛰어들어 자결했다는 곳이다.

장자산 자락을 끼고 2km의 기기묘묘한 해안바위는 낚시꾼들의 보금자리다. 갈매기 울음 따라 기장에서 가덕도를 돌아오는 700리 트레일 코스인 갈맷길 아홉 구간 중 2번째 코스인 이기대길은 가장 아름다운 구간이다. 오륙도에서 강원도 고성까지 이어지는 해파랑길은 제1코스에 해당된다. 일제 강점기 때 이 지역은 구리광산으로 유명했으며 지금도 폐광의 상처가 아물지 않고 그대로 남아 있다.

이기대 갈맷길(부산 남구청 홈페이지)

이기대는 남북 분단 이후 해안 간첩 침투를 막기 위한 군사지역으로 바뀌어 민간인의 출입이 통제되었다가 1993년에야 개방되었으며 2005년 산책로가 조성됨으로써 부산의 대표 둘레길이 되었다. 해안 절벽을 따라 데크 길을 오르내리다 보면 한걸음씩 걸을 때마다 새로운 절경이 나타나는 일보일경(一步一景)의 진수를 맛볼 수 있다. 순간순간 암벽에 부딪치는 파도소리는 어떤 음악보다 아름답고 시원하게 마음을 샤워시켜 준다. 이곳은 천연기념물인 반딧불이(개똥벌레) 축제가 열릴 정도로 청정지역이다. 이기대는 태종대, 낙동강 하구, 몰운대와 함께 국가지질공원으로 지정되어 있다.

신선이 학을 타고 내려와 노닐었다는 강선대(降仙臺)는 아담과 이브가 살던 동산과 같다고 하여 에덴공원으로 통하며 을숙도와 함께 연인들의 데이트 코스로 안성맞춤이다. 음악감상실, 다방, 술집, 음식점 등이 격조를 갖추고 있어서 자연과 문화가 공존하는 문화예술인들의 사랑방 역할을 하고 있다.

수강(守疆)과 의용(義勇)의 수영(水營)

부산의 수영구, 수영강 등에 나오는 수영(水營)은 조선시대 동남해안을 방어하던 경상좌수영에서 따온 이름이다. 국경의 바다를 지키는 수군의 관청명이 지명으로 이어진 것이다. 조선시대 부산을 이끄는 두 축은 행정중심지 동래와 군사중심지 수영이다.

이곳 수군 출신의 안용복은 수시로 울릉도와 독도를 드나들며 불법으로 고기잡이하던 왜인들을 몰아내고 에도 막부를 두 차례 방문, 울릉도와 독도가 조선영토임을 확약(確約)받아온 민간 외교관이다. 오늘날 독도 서도의 도로명도 안용복길이다.

수강사(인터넷 한국향토문화전자대전)

그러나 『숙종실록』이나 『승정원일기』에는 안용복의 공적은커녕 범
죄기록만 남아 있다. 허가 없이 일본에 건너갔기에 불법 월경에다 울
릉도와 독도의 수포장(搜捕將) 행세를 함으로써 관리 사칭죄로 사형까
지 논의되었으나 소론 영수 남구만(南九萬)의 간곡한 상소로 귀양살이
에 그쳤다. 수영사적공원에는 우리 강토를 지켰던 안용복의 사당 수강
사(守彊祠)가 있다.

류성룡의 『징비록』에 따르면 경상좌수영은 2,785m의 성곽에 막강
한 해군력을 보유하고 있었으나, 임란초기 왜병이 침범해오자 적의 위
세에 눌려 경상좌수사 박홍이 성과 성민을 버리고 서울로 도주해 버렸
다. 왜적들의 만행을 참다못한 백성들이 게릴라전으로 7년 동안 항전
했으며, 이때 순절한 25명의 이름이 새겨진 '수영25의용단' 비석이 감
만동 수영사적공원에 세워져 있다.

안용복 동상[원]

안용복 기념 부산포개항기념관[원]

고려 말 왜구를 무찌른 최영 장군의 영신을 모시는 사당 무민사(武愍祠) 바로 뒤 바위는 수영25의용단이 "나라의 존망이 경각에 있거늘, 죽음으로 나라를 구하자."면서 피로써 맹세한 곳이라 하여 '선서바위'라고 부른다.

조선시대 좌수영의 수군들은 훈련이 없는 날 어민들과 어울려 고기를 잡는 일에 주력했는데, 이들이 그물질을 하면서 부르던 노래가 중요무형문화재 62호인 〈좌수영어방놀이〉다.

최치원 선생이 신선되어 노닐던 신선대

부산만과 수영만 사이 길게 돌출한 반도 남단에 우뚝 솟은 돌산을 신선대라고 하는 것은 최치원 선생이 신선이 되어 노닐던 장소라고 해서

신선대[VB]

붙여진 이름이다. 용마산 정상에는 무제등이라고 하는 큰 바위에 신선과 신선이 탔다는 백마의 발자국이 있다. 최치원이 '신선대'라고 쓴 글자가 마모되어 이제는 흔적을 찾기 어렵다.

5만 톤급 선박 5척이 동시에 접안할 수 있는 신선대 컨테이너터미널은 부산을 세계 5위 허브항만으로 끌어올리는 데 주력 역할을 해오고 있다. 그 대신 용당해안의 개발에 따라 신선들의 놀이터로 알려진 신선대의 옛 모습은 사라지고 산봉우리에 이름만 남아있다.

정공단, 송공단, 윤공단, 그리고 한광국 불망비

좌천동에 있었던 부산진성은 임진왜란 초기 부산첨사 정발(鄭撥)이 왜군 선봉과 싸워 장렬하게 순절한 첫 격전지이다. 충장공 정발과 그

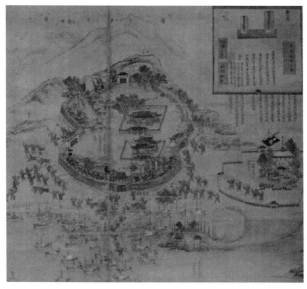

임란전란도 부산진전투[원]

정공단 제단[원]

와 함께 순절한 군민을 기리는 정공단(鄭公檀)에서는 임진왜란 개전
(開戰)일이자 순절(殉節)인인 음력 4월 14일 제사를 드린다.

임진왜란 제1호로 순절한 그의 동상이 현재 초량역 앞 쌈지공원에서
병사와 백성을 거느리고 우뚝 서 있다. 공교롭게도 동상 옆에 일본 영
사관이 있어서 정발 장군은 위안부나 징용 피해자들의 단골 집회를 착
잡한 심정으로 내려다보고 있다.

또한 동래성 전투서 순절한 분들은 송공단(송상현 동래부사), 다대포
전투에서 순절한 분들은 윤공단(윤흥신 다대첨사)에 배향되었다.

윤공단에 오르는 60m 계단 입구에는 백성들에게 선정을 베푼 관찰
사나 첨사 등 14기의 선정비가 즐비하게 세워져 있는데, 그 건너편에
'한광국 불망비'라는 초라하고 조그마한 비석이 오히려 눈에 돋보인다.
천민이었던 다대포 주민들은 매년 정월 초하루에 고을 원님에게 맨 먼
저 절을 해야 하므로 조상들은 섣달 그믐날 차례를 지내야 하는 불편
을 겪었는데, 천민이었던 한광국이 아픈 몸을 이끌고 한양까지 올라가
상소함으로써 폐습을 개선하게 되었기에 주민들이 그 고마움을 기리
는 비석을 직접 세운 것이다.

다대포_항공[VB]

다대포해수욕장[VB]

6.25 전란 때 한국은행 지하금고에 숨겨두었던 금괴를 공산군이 훔쳐간 일이 있었기에 1968년 김신조 일당의 무장공비가 서울에 침투하자 한국은행 금괴를 부산으로 옮겨두었다.

그러나 1983년 이곳 다대포에 무장공비가 나타나자 부산의 모든 금괴를 다시 대구로 가져갔다.

부산의 해수욕장들이 동해안 해수욕장과 비슷한 모양이지만 낙동강의 토사가 쌓여서 형성된 다대포해수욕장만은 수심이 낮은 갯벌이 '크고 넓게' 퍼져 있어서 다대포(多大浦)라는 이름을 얻었다.

왜성으로 바뀌었던 비운의 부산진성 자성

부산진성은 외부에 지성, 즉 자성(子城)을 두었는데 왜장 고니시 유키나가는 부산진 본성을 허물어 버리고 범일동에 있는 지성을 일본식으로 개축하여 고니시성 혹은 자성이라고 불렀다. 그 후 자성에 장군들의 지휘소인 장대(將臺)를 세움으로써 자성대가 되었다.

원래 부산진성 지성 서문에는 '남요인후 서문쇄약(南徼咽喉 西門鎖鑰, 나라의 목에 해당하는 남쪽 국경이며 서문은 나라의 자물쇠와 같다.)'이라고 새길 정도로 부산은 예로부터 지정학적 요충지였다.

자성대는 원래 우리 수군의 성이었으나 임진왜란으로 부산진성의 몰락과 함께 왜군의 성이 되었고 왜적이 물러난 후 한동안 명나라 군사의 주둔지였다가 명군이 떠난 후 비로소 부산첨사영으로 자리 잡는 기구한 운명을 겪었다.

자성 바깥에 배가 접안할 수 있도록 호안공사를 하고 거기서 파낸 흙으로 대를 쌓아 8간 누각의 정자를 만든 것이 영가대(永嘉臺)이다. 영가라는 이름은 이 공사를 수행한 경상도 관찰사 권반(權盼)이 자신의

자성대-정을호[VB]

고향인 안동의 옛 지명에서 따온 것이다. 일본으로 가는 통신사들은 영가대에서의 환송연에 참가하고 무사항해를 기원하는 해신제를 지낸 후 500명 가까운 일행이 크고 작은 6척의 배로 출항했다.

유배의 땅에서도 신선처럼 살았던 사람들

시조문학의 최고봉인 고산 윤선도가 기장 죽성리에서 7년 간 유배생활을 하면서 건너편 송도의 해송 언덕을 황학대라고 칭했다. 신선이 황금색 학을 타고 승천했다는 양자강 하류의 황학루에 비유한 것이다.
동정호의 악양루, 남창의 등왕각과 함께 중국의 3대 누각인 황학루는

황학대[역]

한 층 한 층 오를 때마다 양자강의 풍광이 달라진다. 5층 높이의 황학루 내부에 요즘은 엘리베이터가 설치되어 있다.

지난 번 코로나19 바이러스의 진원지였던 우한이 바로 황학루가 있는 곳이다. 난징, 충칭과 함께 중국의 3대 가마솥이라고 할 정도로 무더운 우한이 설을 맞아 관광 명소인 황학루 입장권 20만 장을 배포하고 10만 명이 참여하는 대규모 설맞이 행사를 벌인 것이 대규모 감염의 원인이 되었다고 한다.

이백과 도연명이 황학루를 즐겨 찾았듯이, 고산은 매일 황학대에 올라 갈매기와 파도소리를 벗 삼으면서 '견회요(遣懷謠)', '우후요(雨後謠)' 등 주옥같은 시, 서, 제문 등 29수를 남겼다. 기장은 2020년 코로나 바이러스 중에도 평년보다 관광객이 5% 더 늘어날 정도로 경관이 아름다운 청

윤선도 시비[역]

정지역이 많다.

윤선도는 성균관 유생시절부터 조정의 비리를 상소하다 유배지 5곳에서 20여 년간 외롭고 험난한 귀양생활을 하면서도 가슴 속 울분을 오히려 아름다운 전원시로 발효시켰던 것이다.

기장(機張)이라는 이름이 옥황상제의 딸 옥녀가 유배 와서 베를 짜던 곳이라는 전설에서 나온 탓인지, 기장은 한양에서 천리 길이라 조선시대 유명 유배지로 점지되었다. 그러나 조선 후기에는 일본을 향하는 길목이라는 이유로 유배지에서 제외되었다.

남인이었던 고산이 기장의 두호마을에서 유배생활을 한 데 비해, 서인이었던 이조참판 이선은 장희빈 사건의 기사환국 때 중리마을로 유배 와서 '근심 걱정이 사라진다.'는 수리정(愁離亭)을 즐겨 찾았으나 유배 4년 만에 작고했다.

일출 명승지인 해동용궁사 바로 오른쪽 절벽에 있는 시랑대(侍郎臺)는

시랑대[역]

원래 부부 금슬을 상징하는 원앙대였으나 어사 박문수의 호남 관찰사 임명을 반대했던 이조참의 권적이 정3품 당상관에서 종6품의 기장현감으로 강등되어 발령받은 뒤 이 아름다운 절벽에 시를 새기면서 자신의 벼슬인 시랑으로 이름을 바꾸었다.

인근 언양으로 유배 갔던 정몽주가 이색, 이숭인과 함께 즐겼다는 삼성대(三聖臺)가 일광해수욕장에 있으며, 기장으로 유배 온 친구를 만나러 시랑 벼슬의 다섯 선비가 내려와서 함께 풍류를 즐겼다는 오랑대(五郎臺)가 요즘은 해맞이 명소로 각광받고 있다.

유배형은 사형 다음으로 무거운 형벌이지만 기장은 북녘의 삼수갑산과는 달리 경관이 워낙 아름답고 인심이 후하여 멋진 유배문학 작품이 남아 있다. 과거시험에 장원 합격했으나 정조의 문체반정 사건에 연루

오랑대 일출-권기학[VB]

되어 꼴찌로 밀려난 이옥, 무오사화와 갑자사화의 주역이었던 유자광, 노론 벽파에 밀려 내려와서 유배시문집 〈효전산고〉를 남긴 심노숭이 기장에서 귀양살이를 했으며, 황사영 백서사건에 연루되어 강진으로 옮기기 전 다산 정약용의 첫 유배지는 기장의 북녘인 장기였다.

　수영 망미아파트 옆 정과정공원에는 '정과정곡 시비'가 있다. 동래정씨 시조인 정문도의 증손자 정서(鄭叙)가 고려 의종 때 동래에서 귀양살이할 때 수영 강변에서 오이농사를 짓고 스스로 '과정(瓜亭)'이라는 호를 가졌다. "젖 떨어질 때부터 글을 지었다."는 과정이 망산(望山)에 올라 개경의 임금을 그리워하며 읊은 노래가 〈정과정곡〉이다.

　"내 님을 그리사와 우니다니 산 접동새 난 이슷하요이다"로 시작하는 〈정과정곡〉은 우리말로 전하는 고려가요 가운데 작자가 밝혀진 유일한

정과정 공원(인터넷)

노래이며, 조선시대에는 궁중아
악이 되어 악공(樂工) 선발 때 필
수시험과목이 되었다. 〈정과정
곡〉은 2002년 4월 부산시립국
악관현악단 정기연주회서 황의
종의 편곡으로 초연되었다.

정과정곡 시비[역]

부산의 진산(鎭山) 금정산과 범어사

    부산을 보호하는 진산(鎭山)은 동래의 금정산(金井山)이다. 『동국여지승람』에 따르면, 산 정상에는 가뭄에도 마르지 않는 황금색 물빛의 샘이 있으며, 하늘에서 오색 구름을 타고 금빛 물고기가 내려와 놀았기에 금빛우물, 금샘(금정)이라는 이름이 나왔다. 하늘의 물고기가 놀던 곳이라고 하여 산 아래에 사찰 범어사(汎魚寺)를 세웠다고 한다. 범어는 '하늘나라 고기'라는 뜻이다. 범어사는 합천 해인사, 양산 통도사와 함께 남도의 3대 사찰이다. 선불교의 전통이 강한 범어사는 수행공간을 지속적으로 확충하여 2012년 금정총림으로 지정되었다.

    범어사의 일주문인 조계문은 기둥이 2개인 일반 일주문과 달리 4

금정산성 진지도[역]

범어사 전경-정순득 [VB]

개의 기둥이 일렬로 늘어선 석조기둥 위에 다포지붕을 얹어 한국 전통건축의 구조미를 잘 표현하여 우리나라 일주문 중 가장 걸작으로 평가받고 있다. 조계문은 부산광역시 유형문화재 제2호를 거쳐 국가보물로 승격되었다.

대웅전으로 오르는 세 번째 문인 불이문(不二門) 기둥에는 "이 문을 들어서는 순간 세속의 모든 것을 내려놓아라(入此門來莫存知解)."는 죽비가 걸려 있다. 불이문은 부처와 중생, 나와 남, 선과 악, 생과 사, 반야와 번뇌, 공과 색이 둘이 아니라 하나라는 부처님의 가르침이 담긴 사찰의 상징적 출입문이다.

특히 보물 434호로 지정된 범어사의 대웅전은 가늘고 섬세한 조각과 아름다운 장식이 우리나라 불교건축과 목조공예의 진수를 보여주며, 경내에는 등나무가 군생하여 5월이면 화사한 향기의 연보라색

범어사 조계문[역]

꽃으로 장관을 이룬다. 사찰 주변에서 자생하는 등나무 무리는 천연기념물 제176호로 지정되어 있다.

금정산성은 길이가 17km로 우리나라 가장 긴 성이며, 성 안의 면적은 250만 평이나 된다. 범어사역 5번 출구를 나와 계명봉 자락에서 범어사에 이르는 2km 남짓 오솔길은 빨리 걷기에는 너무 아깝게 느껴진다. 조선조 세조가 강원도 진부의 월정사에서 상원사에 이르는 길이 무척 아름다워서 가마를 천천히 가자고 했다는 이야기에 공감이 간다.

옛날 이 길은 동래부사와 관헌들이 오갔으며 의상, 원효, 경허, 만해, 성철, 용산, 동산 등 범어사 큰스님들의 앞마당이었을 것이다.

범어사를 에워싸고 있는 계명암, 금강암, 내원암, 대성암, 만성암, 미륵암, 안양암, 원효암, 지장암, 청련암 등 세속과 등을 지고 있는 암자를 순례해보는 재미도 쏠쏠하다.

범어사 설경_특선 최남순[역]

화명수목원과 아홉산 숲의 숲 나들이도 일품

　금정산 중턱 산성마을 인근에는 부산 최초의 공립수목원인 화명수목원이 있다. 숲 해설가와 함께 자연생태를 직접 탐방할 수 있고 한대에서 아열대까지 9개의 숲 전시실에 조성된 다양한 생물을 관찰할 수도 있다. 도심에서 멀지도 않아 가족들의 숲 나들이 장소로 안성맞춤이다.

　부산이 감추고 있는 보석 같은 숲은 기장 웅천리에 있는 아홉산 숲이다. 4백여 년 전 남평문씨 일족이 이곳에 정착한 후 고집스럽게 나무를 심고 가꾸면서 외부개방을 허락하지 않았다. 우리나라 숲이 머금고 있는 물의 양은 소양강댐의 10배나 되어 홍수나 가뭄을 해소해 준다고 하니 숲의 고마움을 잊을 수가 없다.

　아홉산 숲은 자연생태를 훼손하지 않는 범위 안에서 하루 수십 명의 소수 사람만 유료로 받아들이고 있다.

화명수목원[역]

영화 〈군도〉, 〈협녀〉, 〈대호〉 등의 울창한 삼림 배경도 컴퓨터 그래픽이 아니라 바로 이곳의 실제 모습이다.

마치 술잔을 엎어둔 것과 같은 모습의 배산(盃山) 기슭에는 1500년 전 삼국시대 동래 일대를 다스리던 거칠산국의 고분군이 있다. 황령산도 원래 이름은 거칠산이었다. 연산 고분군에는 10기의 대형 고분과 그 주위로 200기에 가까운 돌덧널무덤이 에워싸고 있다.

피난민 판자촌이었던 이곳을 1969년 주택지로 재개발하는 과정에서 토기 조각이 나오기 시작했으며 무덤 주변에서는 흙과 돌로 쌓은 성벽과 우물터도 발견되었다.

동래 복천박물관에는 옛 무덤에서 출토된 각종 유물이 잘 전시되어 있어서 가야시대 지배층들의 생활모습을 이해하는 데 많은 도움이 된

해동용궁사[역]

다. 박물관 인근에는 동래읍성, 장영실 과학동산 등 역사기행을 겸한 산책로가 잘 정비되어 있어서 자녀들을 데리고 다녀올 만한 역사교육 장이다.

동래에는 한국 과학계에 길이 남을 두 분, 장영실과 우장춘의 기념관이 있다. 동래현의 노비 출신이었던 장영실은 세종의 총애를 받아 앙부일구(해시계), 자격루(물시계), 혼천의(행성 측정기) 등 각종 천문기구를 만들어 종3품의 대호군까지 승진했던 인물이다.

또한 세계적인 육종학자 우장춘은 광복 후 황폐해진 우리 농업 부흥을 위해 동래에 원예시험장을 열고 제주 감귤, 강원도 감자, 김장 배추 등 씨앗 개량에 헌신했다. 그의 부친 우범선이 별기군 훈련대장으로 명성황후 시해사건에 연루되어 일본으로 도주, 일본 여성과 결혼하여 망명

해동용궁사-김기홍[역]

생활을 하다가 조선인 고영근에게 피살당했기에 우장춘은 속죄의 심정으로 일본에 가족을 두고 한국에 나와 봉사했던 것이다.

우장춘은 '씨 없는 수박'으로 널리 알려져 있지만 실제 이것을 개발한 사람은 일본 육종학자 기히라 히토시(木原均)이고, 우 박사는 동래에서 재배에 성공했던 것이다.

기장 시랑리에 있는 해동용궁사는 파도가 법당 앞에 넘실거릴 정도로 바다와 가장 가까운 사찰이어서 해돋이 관광지로도 유명하다. 해동용궁사는 양양 낙산사, 남해 보리암과 함께 기돗발 영험이 있다는 3대 해수관음성지이다. 사찰 입구에는 바다나 육지의 안전운행을 기원하는 9층 석탑이 서 있고, 경내에는 아들을 낳게 해준다는 득남불의 코와 배에 무수한 사람들의 검은 손때가 묻어 있다. 탁 트인 바다에 경관도 아름다워 바닷길 안전과 재복을 기원하는 사람들로 언제나 발 디딜 틈이 없다.

매축(埋築)으로 재탄생한 부산, 그리고 산복도로

부산은 원래 산자락이 바다 앞까지 내려왔기 때문에 평지가 별로 없었을 뿐만 아니라 항만 기능도 거의 불가능했다. 본격적으로 부산에 이주해온 일본인들은 1902년 자본금 35만 원으로 부산매축주식회사를 설립하고 우선 왜관을 중심으로 매축공사부터 시작했다. 중앙동과 영주동 사이 영선산 봉우리 두 개를 평지로 바꾸는 것을 비롯하여, 초량동 수정동 범일동을 거쳐 우암과 적기까지 부산 전역의 11곳에 대대적인 매축과 축항공사를 벌였다. 영주동 일대의 평지작업공사로 생긴 새마당은 1평당 60~70원씩 분양했다. 당시 순사 월급 20원에 비하면 비싼 편이었

매축지마을[원]

지만 순식간에 팔려나갔다고 한다.

매축공사장에 막일을 하는 노동자는 한국인뿐만 아니라 중국인, 일본인들도 있었다. 토목공사의 막노동을 일본말로 '도카타(土方)'라고 하는데 이것이 '노가다'로 변해서 쓰이기 시작한 것도 이 무렵이다. 1904년 표준품삯을 보면 일본인 막일꾼이 하루 80전인 데 비해 한국, 중국인은

매축지마을[원]

매축지마을 조방의 기억[원]

매축지마을 1954년 화재[원]

그 절반 정도였다.

매축지는 항만과 도로시설이 주된 목적이었지만 초량천 하구에는 미로와 같은 서민마을이 아직도 일부 남아 있다.

매축지 마을은 '세 가지가 많고 세 가지가 없다.'고 하여 삼다삼무(三多三無)라고 한다. 많은 것은 노인과 빈집, 공동화장실이고, 없는 것은 마당과 햇볕, 바람이다. 매축마을은 영화 〈친구〉 〈아저씨〉 〈마더〉의 촬영지로 유명하여 외부 관광객들이 즐겨 찾는다.

매축 조성 당시 부산시내 평지인 광복동이나 보수동은 일본인 거주지였고 막노동 품팔이 조선 노동자들은 산비탈인 영주, 초량, 대신, 아미동에서 도시 빈민층으로 살아야 했다.

1925년 6월 20일자 동아일보는 "조선인은 평지에 집을 얻지 못하여 사방팔방으로 산비탈에 집을 지었는데 토막과 바라크 사이로 꼬불꼬불 험악한 길이 거미줄 모양으로 엉키어 비가 오면 도로는 진흙바닥을 이루어 사람들이 미끄러지기 일쑤였다."라고 묘사하고 있다.

2만 2천Km의 이바구길, 산복도로

 광복과 6.25를 계기로 50만 명에 가까운 귀환동포와 피난민들이 산꼭대기까지 천막을 치기 시작하자, 시당국은 산 중간의 배 부분에 길을 뚫어 산복도로(山腹道路)를 만들었다. 원(原)도심 부근의 산지 중턱을 지나는 산복도로는 부산진구, 동구, 중구, 서구, 사하구, 사상구 등 6개구를

초량산복도로 판잣집 1960년대[역]

아우르는 2만 2천여km의 골목 비탈길이다. 산복도로는 서민들의 애환이 겹겹이 쌓여 있는 부산 속의 부산이다. 부평초처럼 외롭게 떠돌던 사람들에게 부산을 제2의 고향으로 만든 따뜻한 품이 산복도로였다. 가난하고 남루하기만 했던 골목길이 이제는 깨끗하게 단장되고 어두운 골목 계단에는 웃음과 햇살이 가득 넘쳐난다. 집집마다 사연도 많던 산비탈의 판잣집들이 이제는 이바구 캠프라는 어엿한 민박집으로 거듭 났다.
 개발에 밀리고 삶에 지친 서민들이 모여 살면서 거친 외세의 바람막이가 되고 떠돌이 피난민들을 포근히 안아주었던 영주동 산복도로에 2011년부터 도시재생 프로젝트인 '산복도로 르네상스' 사업이 시작되었다. 2018년에는 사람냄새가 나는 '인문학당 달리'가 문을 열었다. '달리'는 '달을 담은 항아리'의 약자로서 '달리보고 생각하여 새로운 세상을 찾

168계단[원]

아가자.'는 뜻을 담고 있다. 책 읽기, 강연, 북 콘서트, 음악연주, 미술 전
시회 등을 통해 주민들이 새로운 문화 세상에 빠져들고 있다.

　요즘은 학당을 벗어나 '소요유'라는 먼 곳 기행도 한다. 아무런 얽매임
없이 자유롭고 느긋하게 돌아다니며 보고 듣고 배운다는 장자의 소요유
(逍遙遊)에서 가져온 이름이다.

　부산역에서 용두산 부산타워, 감천문화마을, 168계단, 까꼬막 카페 등
산복도로를 달리는 관광버스를 '먼디(언덕)버스'라고 한다. 부산시내버
스 43, 52, 86번을 타면 산복도로 구석구석을 찾아갈 수 있다. 고지대
주민과 외부 관광객을 위해 가파른 길에 요즘은 33도 경사의 모노레일
이 설치되어 있다.

산복도로_초량이바구길[VB]

초량이바구길[VB]

초량이바구길(1)[VB]

지하철1호선 부산역 7번 출구로 나와서 산복도로와 연결된 초량 이바구길로 들어서면 한국의 슈바이처 장기려 박사 기념관, 편지를 부치면 1년 만에 수취인에게 전달되는 유치환 우체통, 요절한 시인 김민부 전망대를 만나는가 하면, 가물가물한 오륙도를 비롯한 부산 시내를 한 눈에 내려다볼 수 있다.

골목마다 주민들의 옛날 생활을 담은 벽화가 있는가 하면 초량초등학교 출신인 가수 나훈아, 코미디언 이경규, 음악인 박칼린 등 낯익은 얼굴들이 방문객을 맞이하는 '인물사 담장'도 있다.

산복도로 이바구길에 있는 조그만 사찰 소림사에는 '기억의 쉼터'가 있지만, 우리 기억에서 충혼의 흔적이 까마득하게 사라지고 있다.

우리 기억에서 사라진 충혼의 흔적

공산군의 6.25 남침 소식을 신문호외로 접한 재일동포 젊은이들은 조국을 지키자는 동지들을 규합하기 시작했다.

마침내 1950년 9월 642명의 재일학도의용군이 인천과 부산으로 들어와 군번도 없이 참전했다가 백마고지를 비롯한 여러 전선에서 135명이 전사하고 대부분 부상을 입었다.

전쟁 중이던 1951년 샌프란시스코 조약으로 국권을 회복한 일본은 당시 일본 내에 거주하던 조선인에게는 일본 국적을 주었지만, 참전으로 자리를 비운 학생들은 졸지에 외국인 신분이 되고 말았다. 그나마 미군부대에 소속된 의용군은 일본으로 돌아갈 수 있었으나 나머지 200여 명은 초량의 소림사 법당에서 부산 앞바다를 내려다보며 하염없이 일본행을 기다리다가 결국 뿔뿔이 흩어져 막노동에 나섰다. 정부는 1968년에야 이들을 국가유공자로 인정하고 이곳에 재일동포 출신 학도병을 기리는 쉼터를 마련했으나 너무나 초라한 모습으로 방치되고 있다.

부산의 오지 범내골 안창마을

부산의 오지 중 오지인 범내골 안창마을은 1970년대 중반에야 전기가 들어온 곳이다. 범내골은 냇가에 호랑이가 나타났다고 하여 붙여진 이름이다. 인적이 드문 골짜기에 피난민들의 무허가 판자촌이 들어선 것이 이 동네의 시작이다. 탈북 피난민이었던 통일교 교주 문선명도 이곳 공동묘지 근처서 토담집을 짓고 경전을 집필했으며 전도활동도 안창마을부터 시작했다.

이곳은 통일교의 성지가 되어 외국 신도들이 찾아오며 기념관도 있다.

안창마을[원]

안창마을 벽화[원]

이곳 안창마을도 산복도로와 같은 르네상스 바람이 불어 예술거리로 탈바꿈하고 있다.

가을밤의 숨 막히는 감동 부산불꽃축제와 야경 명소

가을밤에 숨 막히는 감동을 연출하는 부산불꽃축제도 부산의 새로운 볼거리로 자리를 잡았다. 광안리해수욕장의 행사장에는 멀티불꽃쇼에 앞서 이른 오후부터 각종 공연의 불꽃 버스킹으로 분위기를 띄운다. 이태리의 파렌테 같은 세계적 불꽃기업들이 불꽃쇼의 묘기를 보인다. 테이블과 의자가 있는 로얄석은 관람료가 10만 원, 의자만 있는 특석은 7만 원이지만 일찌감치 매진된다. 표를 사지 않아도 명당자리는 많다. 달맞이고개, 황령산, 금련산 등에 가면 불꽃과 함께 도심 야경까지 즐길 수 있다. 부산불꽃축제가 부산의 최고 이벤트로 자리를 잡자 크루즈 선상에서 불꽃구경을 하는 프로그램도 등장했다.

성탄절과 연말연시를 전후해서 부산의 겨울밤을 장식하는 중구 광복로의 '부산크리스마스트리문화축제'와 부산진구 부전동의 '서면트리축제', 해운대구 중동의 '해운대 빛 축제' 등이 환상적인 분위기를 자아낸다.

한국관광공사가 한국의 야경명소로 선정한 100곳 가운데 부산의 9곳은 동백섬 등대광장에서 바라본 누리마루와 광안대교, 마린시티 야경, 달맞이 언덕 문탠로드, 송도 구름산책로, 송도 해상케이블카, 다대포 꿈의 낙조분수, 황령산 봉수대, 동래읍성지 야간 경관, 동구 이바구길 달빛샤워 야간걷기 축제 등이다.

부산시티투어버스로 야경투어를 하려면 부산역에서 출발하는 브리

부산불꽃축제-이수보[VB]

짓투어 버스를 타고 광안대교, 부산항대교, 남항대교를 지나면서 부산 야경을 즐길 수 있다.

이 밖에도 동래읍성, 범어사, 온천장을 도는 북부산 테마버스와 태종 대, 기장, 해운대를 각각 유람하는 시티투어 버스가 있다.

부산공연기술업계는 코로나 바이러스로 모든 축제가 줄줄이 취소되면서 생존위기에 몰리자 2020년 7월 17일 밤 9시에 부산시청 앞 광장에서 30분 동안 '빛 시위'를 벌이면서 지원 대책을 호소했다. 빔 라이트 30대를 동원하여 밤하늘에 SOS를 깜빡거렸으며, 부산시내 다른 6곳에서도 비슷한 조명시위를 벌였다.

코로나19에 따른 정부의 지원과 사회적 관심을 촉구하기 위해 벌인 세계 최초의 조명 시위는 6월 말 독일 바이마르에서 시작되었다. 이후 독일 여러 도시 8,900여개 건물에 열정을 상징하는 빨간 불이 켜지면서 연대시위가 벌어졌고 유럽 여러 나라로 전파되고 있는데, 우리나라에서는 빛의 도시 부산에서 최초로 조명 시위의 빛이 점화되기 시작했다.

대상_김기홍-마린시티와부산불꽃축제[VB]

부산불꽃축제, 한미숙[VB]

방탄소년단의 고향이 부산이라고?

2020년 방탄소년단의 노래 〈다이나마이트〉가 빌보드 메인 싱글차트 1위에 등극하고 2021년에는 아시아인 최초로 아메리칸 뮤직 어워드 (AMA)를 수상함으로써 전 세계의 팬클럽 아미(ARMY)가 부산을 향해 열광하고 있다.

7명의 BTS 멤버 중 한 도시에서 2명이 나온 것은 부산이 유일하다.

BTS 영화의 전당, 김미구[VB]

정국(전정국)이 다닌 백양초등학교와 백양중학교, 지민(박지민)이 다닌 회동초등학교와 윤산중학교, 부산예술고의 등굣길을 비롯하여 그들이 다녀간 부산시민공원, 부산시립미술관, 파크하얏트, 광안대교, 다대포 일대는 팬들의 요청에 따라 부산관광공사가 BTS 투어코스를 운영하

BTS 부산항 야경, 권기학[VB]

BTS 야경 광안대교, 권기학[VB]

고 있다. 일몰로 유명한 다대포해수욕장은 지민이 V로그영상을 엮었던 곳이다. 정국의 별명은 부산 갈매기를 뜻하는 '씨걸'이고 지민은 부산사람들이 즐겨 먹는 '망개떡'이다.

방탄소년단의 막내인 정국의 23번째 생일인 2020년 9월 1일을 맞아 150만 명의 중국 팬들이 모은 기금으로 경부선 KTX 열차 외부 전체에 '정국아 생일 축하해' '19970901' 문구와 정국의 사진으로 랩핑한 광고를 한 달 간 부착했다. 또한 국내팬클럽은 생일날 밤 해운대 앞바다에 바지선을 띄우고 10분 간 불꽃을 쏘아 올리는 축제를 벌였다.

2019년 6월 부산 아시아드보조경기장에서 열린 방탄소년단의 팬 미팅에 5만여 명이 운집했으며 이들이 다녀간 오륙도, 부산시립미술관, 광안대교, 다대포해수욕장, 횟집 등은 인기 관광지가 되었다.

거창 출신의 뷔(김태형)가 부산시민공원을 걷다가 우연히 인증 샷을 남긴 평범한 산책로에 '방탄소년단 뷔 사진촬영장소'라고 표기하여 포토존 명소가 되었다.

미술전시회에 특별히 관심이 많은 방탄소년단의 리더 RM(김남준)은 부산행사 중 홀로 빠져나와 부산시립미술관 별관의 '이우환 공간'을 찾았다. 이곳은 일본 나오시마에 이어 두 번째로 이 화백이 직접 설계 디자인한 개인미술관으로 점과 선의 작품 13점과 야외 조각 작품이 전시되어 있다.

이우환의 해외 전시장을 일부러 찾아다니곤 했던 RM은 "잘 보고 갑니다. 선생님, 저도 '바람'을 좋아합니다."라고 방명록에 남겼다. 우리나라 미술전시회는 RM이 다녀간 전시회와 다녀가지 않은 전시회로 구분될 정도이며, RM의 관람 소식이 알려지자 부산시립미술관을 찾는 방문객이 4배로 늘었다고 한다.

"미술에서 음악적 영감을 얻는다."는 RM은 코로나가 한창인 2020년

BTS 부산타워, 권기학[VB]

부산시립미술관[VB]

5월, 부산 조현화랑의 이배 개인전과 부산시립미술관의 김종학 개인전을 보고 "쉽지 않은 시기, 잘 이겨나갔으면 합니다."라는 글을 방명록에 남겼다. 그는 자신의 실천에 걸맞게 미술관람 기회가 적은 산간벽지 청소년들에게 미술품을 접할 수 있는 도록 제작비로 1억 원을 국립현대미술관에 기부함으로써 한국문화예술위원회로부터 '2020년 예술후원대상'을 받았다.

부산은 학생 항일운동의 성지

부산의 외국인 거리들

부산은 우리나라 어느 지역보다 외지인이 많이 드나드는 대륙의 관문이어서 초량왜관을 비롯하여 청국거리(상해거리), 텍사스거리, 러시아거리 등 외국인들의 활동이 두드러진 곳이다.

지금도 부산 중심지역의 안내표지판에는 영어, 중국어, 일본어와 함께 러시아어가 병기되어 있다.

부산역 맞은편에는 1999년 부산시가 상해시와 자매결연한 기념으로 중국인들이 직접 세운 붉은색 상해문(上海門)이 돋보인다. 원래 이곳은 동래부사가 초량왜관을 행차할 때 지나가던 백사청송의 바닷가 길목이었다. 부산 차이나타운은 구한말 중국의 조계지였다.

조계지는 자국민의 생명과 재산 보호를 위해 독자적 행정권을 휘두르는 치외법권 지역이다. 1884년 이곳에 청국영사관이 설치되면서 중국 상인들의 집단촌인 청관마을이 형성되었다. 청국영사관 주변의 조계지 조성을 위해 초량 앞바다의 모래사장과 송림을 매립, 매축하고 공동묘지도 아미동으로 옮겼다. 용두산 주변의 일본인 마을 왜관거리에 빗대어 이곳을 청관거리라고 불렀다.

1882년 임오군란의 책임을 물어 대원군을 납치할 정도로 오만했던 청

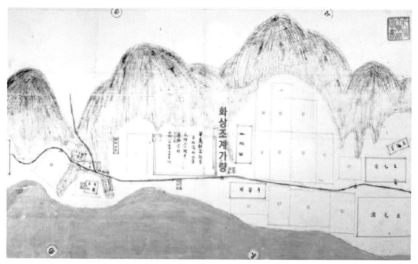
부산항 약도와 차이나타운[원]

나라인지라 중국인들의 행패는 대단했다. 중국가게에 들러 흥정만 하고 물건을 사지 않으면 폭력을 행사하기도 했으며, 밤이 되면 조선인들은 청관 주변에 함부로 다닐 수가 없었다. 중국인 화교(華僑)가 왜관에 '덕흥호'라는 가게를 열어 중·일 간 외교 마찰이 일어났는데, 결국 힘없는 조선이 중국에 위약금을 물어주어야 했다.

그러나 청일전쟁으로 일본에 패한 후 중국인들의 기가 꺾이면서 차이나타운은 명맥만 유지하게 되었다.

부산의 차이나타운이 가장 큰 수난을 당한 것은 1931년 6월 만보산 사건 때문이다. 중국 지린성 만보산 지역의 조선인과 중국인 농민들 사이에 농지의 수로 문제로 약간의 다툼이 있었는데 "조선인들이 중국에서 박해를 받아 많은 사람들이 살해되었다."고 잘못 알려져서 중국집 보복습격이 전국적으로 자행되었다. 물론 이것은 일본의 이간질과 일부 언론의 오보로 야기된 것이다.

차이나타운 동화문[원]

　대부분의 중국 가게들은 불에 타버렸고, 생명이 위급해진 화교들은 초량의 중국영사관으로 피신했다. 청관거리는 피비린내 나는 아수라장이었다. 성난 조선인 군중들은 영사관을 에워싸고 돌을 던지며 행패를 부렸다. 전국적으로 400회 이상의 중국인 습격이 있었으며, 목숨을 잃거나 실종된 화교는 233명이고 중상자도 546명으로 집계되었다. 가장 피해가 심한 곳은 평양으로 중국인 사망자가 94명이었다.

　화교 박해가 심각해지자 동아일보(1931년 7월 9일자)는 '2천만 동포에 고함'이라는 사고를 통해 "중국에 있는 우리 동포들은 모두 무사하고 안전하니 국내 중국 사람들에게 제발 폭행을 하지 말아주세요."라는 호소문을 실었다.

　"호떡집에 불났다."라는 말도 이 무렵 중국음식점 테러에서 생긴 것이다. 만보산사건의 폭동을 주도한 조선인 1명이 사형 당하고 1,011명이 처벌을 받았으며, 갑자기 죄수가 늘어나자 감옥을 증축하기까지 했다. 중국인 배척 광풍이 한 차례 휩쓸고 난 이후 부산의 화교 수도 절반 가까이 줄었다.

차이나타운[원]

광복에 이어 한국전쟁을 계기로 미군과 UN군이 진주해옴으로써 초량 주변은 이른바 '텍사스촌'이라는 유흥가로 다시 흥청거리기 시작했다. 술에 취한 미군들이 대낮 길거리에서 서로 권총을 쏘면서 싸우는 장면을 목격한 주민들이 서부영화의 카우보이들을 연상해서 텍사스촌이라는 이름을 붙였다고 한다. 요즘은 다소 한산해진 외국인 거리에 보따리 장사를 하는 러시아인들이 많이 보인다.

민간 종합의료기관 백제병원의 변신

상해거리의 화교중학교 모서리에 있는 낡은 4층 벽돌집은 부산 최초의 민간 종합의료기관인 백제병원 건물이다. 일본 오카야마 의과대학을 나온 김해 출신 최용해는 일본 여성과 결혼, 장인의 지원으로 호화 의료진에 부산 최고시설의 병원을 1922년에 개업한다.

개원 초기에는 병원이 크게 번성하여 부산부립병원과 철도병원을 능가했다. 그러나 행려병자 시신으로 만든 해골 표본들이 사회문제를 일

백제병원[원]

으키면서 환자가 갑자기 줄어 결국 10년 만에 병원 문을 닫았다. 최 원장은 가족과 함께 관부연락선을 타고 야반도주하다시피 일본으로 건너가서 일본인으로 귀화했다.

1935년 동양척식회사로부터 백제병원을 인수한 중국인 양모민은 이 건물을 부산 최고의 중국 요리집 봉래각으로 변신시켰다. 봉래각은 청관거리에 있었으므로 일본인, 한국인, 중국인 손님들로 영업이 번성했다. 특히 근처 영주동의 초량권번에 소속된, 서울과 평양에서 온 기생들이 봉래각에 살다시피 하면서 이곳은 새로운 사교문화장이 되었다. 그러나 1944년 3월 세계대전의 패색이 짙어진 일본이 '예기(藝妓) 영업 폐기' 조치를 내림으로써 권번과 함께 봉래각도 문을 닫았다.

전쟁 막바지에는 이곳이 부산 주둔 일본군의 숙소로 사용되다가 해방 후에는 학병으로 끌려갔다가 귀환한 동포들을 위한 학병치안본부가 되었으며, 6.25 전란 중에는 임시로 대만의 영사관과 대사관으로 사용되었다. 그 후 내부를 새롭게 단장하여 신세계예식장으로 바뀌었다가 일반 상가로 바뀌었지만 100년을 견뎌온 부산 최초의 근대식 개인종합병원이었기에 국가등록문화재 제647호로 명성을 빛내고 있다. 고풍스런 벽돌건물 1층에는 브라운핸즈 커피점이 들어섰으며, 창비출판사가 운영하는 2층 '창비부산'은 책과 작가를 만나는 아늑한 공간이다.

요정 '정란각'으로 이름을 날렸던 전통 일본식 가옥

수정1동 주민센터 옆에 있는 정란각(문화공감 수정)은 우리나라에서 가장 보존이 잘 된 일본식 2층 가옥으로서 등록문화재 330호로 지정되

정란각(문화공감 수정)

어 있다. 재력가였던 다마다 미노루(玉田穰)가 1939년 원래 철도청 관사였던 집을 허물고 전통 일본 무사계급의 저택 양식으로 지었기에 다다미와 창호, 차실 등이 잘 보존되어 있으며, 해방 후 한동안 정란각이라는 이름의 고급 요정으로 사용되었다.

임시정부 시절 '밤의 정치' 무대가 되었던 요정이 우후죽순으로 쏟아져 나옴으로써 부산은 한때 '요정의 도시'로 변했다. 3만 명의 전쟁고아가 헤매고 다니는 부산 거리에서 경찰이 무허가 요정 1,500곳을 적발했다는 기사가 1951년 6월 신문에 실려 있다. 그 중 정란각, 신성, 심우장 등은 거물 정치인들의 아지트였다.

정란각은 그 후 '부산 수정동 일본식 가옥'으로 불리다가 문화재청이 매입한 후 '문화공감 수정'이라는 카페로 문패가 바뀌었다.

대지 660평에 건평 204평의 저택이라 영화 〈범죄와의 전쟁〉과 〈장군의 아들〉, 그리고 가수 아이유의 뮤직비디오 〈밤 편지〉 촬영지로도 유명하다.

현재 소유주는 섬유산업의 태창기업이 운

부산 3.1독립운동기념탑[역]

부산 항일학생의거기념탑[역]

영하는 일맥문화재단이며, 최근 주변의 40층짜리 고층아파트 신축공사로 인해 지반 침하가 생겨 3개 건물 중 1개동은 철거했다.

일제는 대륙 침략의 발판을 삼기 위해 부산에 철도나 항만, 물류창고 등 각종 근대시설을 마련했기에 부산을 '근대도시'라고 부르기도 한다. 현재 부산에 남아 있는 일제 강점기의 근대 건조물 219개는 대부분 수탈의 감독기관이나 일본 고관들의 관사, 거주지 또는 여가시설들이다.

아리랑 항일 시위와 '노다이 사건'을 아세요?

뭐니 뭐니 해도 부산은 지리적으로 가장 가까운 일본인들이 일제강점기에 대거 몰려옴으로써 한일 간의 갈등이 어느 지역보다 심했다. 광주학생독립운동사건은 일제 강점기 시절 학생저항운동의 상징으로 알려져 있지만, 부산에는 이에 못지않은 '노다이 사건'이 있다.

일본 육군대좌인 노다이 겐지(乃台兼治)는 부산병참기지 사령관이면서 부산의 5년제 중학교 배속장교를 겸하고 있었다. 1940년 11월 21일 경남학도 군사대연습이라는 명목으로 중학생들에게 총을 지급하면서 동서 두 진영으로 나누어 모의전투훈련을 실시했다.

동군은 부산중학을 비롯한 일본인 위주였고, 서군은 동래중학을 비롯한 한국인 중심의 학교로 편성하여 김해에서 결전을 벌였는데, 서군은 가파른 산을 넘어 먼 길을 오게 했을 뿐만 아니라, 보급품에도 민족차별이 심해서 조선학생들의 불만이 고조되었다.

이틀간 모의전투 후 부산공설운동장서 거행된 국방경기대회 입장식에서 노다이는 전년도 우승팀인 동래중학 대신 부산중학에게 우승기를 들고 들어오게 하는가 하면, 각종 시합에서 동래중학, 제2상업이 1등을 하면 트집을 잡아 재(再)시합을 시켜 결국 부산중학에 우승을 안겨주었다.

부산중학의 우승발표와 우승기 수여가 있자 한국 학생들의 분노가 폭발 "부정심판 노다이 물러가라."라고 외쳤다.

이어 폐회식 때 한국 학생들은 일본제국 '만세(반자이)' 를 외치는 대신 '젠자이(단팥죽)'라고 야유했다.

이날 밤 동래중학과 부산제2상업 학생 1천여 명이 아리랑을 부르며 가두시위를 벌였고 일부 학생들은 부산공립보통학교(봉래초등학교) 근처의 노다이 관사로 쳐들어가 유리창을 박살내고 노다이 부인을 끌어내 남편의 소재를 대라고 다그치기도 했다.

이 사건으로 양교 20여 명의 학생들이 10개월 내외의 옥살이를 했으며 동래중학의 김명수와 부산제2상업의 김선갑은 고문 여독으로 출옥

일신여학교[원]

보름 만에 숨졌다. 동래중학은 퇴학 9명, 정학 34명, 부산제2상업은 퇴학 12명, 정학 10명, 견책 10명 등 징계조치를 내렸다.

노다이 사건 이후 동래고보와 부산제2상업이 곧 폐교될 것이라는 소문이 번져 한동안 우수한 학생들이 이들 두 학교에 입학하는 대신 부산공업중학교 등으로 진로를 바꾸기도 했다.

부산의 3.1 만세운동은 일신여학교가 진원지

부산지역 3.1 독립만세운동의 진원지는 호주 장로교 여성 선교사 멘지시, 페리, 퍼셋이 1893년에 세운 부산진일신여학교(동래여고 전신)였다. 여성에게는 근대교육의 기회가 없던 시절 한강이남 최초의 신여성 교육기관이다.

만세운동이 지방에는 제대로 알려지지도 않았던 3월10일 주경애, 박시연 교사와 11명의 여학생들이 태극기를 만들고 모의하여 다음날 밤 9시에 기숙사 문을 박차고 나서면서 좌천동 거리에서 2시간 동안 "대한

독립만세!"를 외쳤다. 좌천동 일대는 조선인들의 주거지이자 기독교가 번창한 지역이기에 부산 최초로 시위가 발발한 것이다. 일신여학교의 옛 건물은 부산시기념물 제55호로 지정되어 원형 복원을 거쳐 역사관으로 활용되고 있다.

　일제 세력이 가장 뿌리 깊게 내린 식민도시 부산에서 여학생들의 의거는 3.1운동사를 빛냈을 뿐만 아니라, 부산과 경상남도 만세운동의 불씨가 되었다. 그러나 15~6세의 가냘픈 소녀들은 모진 고문과 옥고를 치러야 했다. 밀양 출신 의열단장 김원봉과 결혼한 박차정은 일신여학교 재학시절 학생운동을 주도하다가 수차례 옥살이를 했으며 중국으로 망명하고서는 조선혁명간부학교 여자교관, 조선의용대 복무단장으로 일제

박차정 의사상(부산금정구 블로그)

와 싸우다 1944년 34세의 나이로 순국했다.

　동래여고 교정에는 '박차정 의사 동상'과 '3.11 만세운동 기념비'가 있으며 옛날 학교가 있었던 좌천동의 부산진교회 옆에는 '부산일신여학교 만세운동 기념비'가 세워져 있다. 부산포의 본거지인 이 지역에는 독립운동가들이 많이 배출되어 일신여학교 위쪽의 거리 담장에는 부산 동구 출신 독립운동가 29인 기림비가 행인들을 맞이하고 있다.

동래3.1만세운동 재현행사 포스터

범어사 3.1운동[역]

동래고보와 부산제2상업, 명정학교도 뒤를 이어 만세운동

일신여학교의 만세운동에 자극받은 동래고보 학생들도 3월 13일 동래장날을 이용하여 대규모 시위를 벌였으며 다음 장날인 18일에도 시위를 이어갔다. 복산동 주민센터에서 하나은행 동래지점까지 600m 거리가 독립만세의 함성이 울렸던 곳이다. 서울에서 독립선언서를 부산에 갖고 와서 만세운동을 주도했던 동래고보 1회 졸업생 곽상훈(전 국회의장)은 검거령을 피해 상해 망명을 준비했는데, 출국 전날 밤 송별연 자리에서 밀고로 체포되었다.

3.1 만세운동에 앞장선 동래고보와 부산제2상업 학생들이 형기를 마치고 감옥에서 나온 후 역사공부 독서모임인 '혁조회'를 조직하여 지하에서 은밀하게 항일투쟁 활동을 벌였다. 1928년 10월 부산제2상업에서

만세거리 기념 표지석[역]

일본인 교사 배척을 이유로 동맹휴학사건이 일어나자 그 배후 조종 단체인 혁조회가 발각되어 양교의 학생 7명이 동래경찰서에 구속되었다. 부산제2상의 김규직 회장은 이듬해 2월 19일 감옥에서 고문으로 옥사했으며, 양정욱과 유진흥도 병보석으로 가출옥했으나 얼마 후 숨졌다.

이들을 가혹하게 고문한 경찰은 '마쓰우라 히로(松浦鴻)'라는 일본 이름을 썼던, 그 악명 높은 노덕술이었다. 울산 장생포의 흙수저 출신인 노덕술은 자신의 출세를 위해 친일 행각에 앞장섰으며, 일제강점기 시대 조선인 애국지사들에게 자행한 악독한 고문기술의 70%는 노덕술이 개발한 것으로 알려져 있다.

1906년 범어사 스님들이 세운 신학문의 명정학교 학생들이 모교 선배인 김법린을 비롯한 불교계 인사들을 중심으로 3월 18~19일 동래에서

요산문학관[VB]

독립만세운동을 벌였으며 이 사건으로 명정학교가 폐교를 당했다. 범어
사는 폐교 7년 후인 1926년 불교전문강원을 개원함으로써 이 학맥을
이어갔으나 1943년 조선어학회사건으로 다시 폐교되었다가 해방 후 금
정중학교로 거듭 태어났다.

　사회개혁과 민족의식이 강한 소설 『사하촌』의 작가 김정한은 명정학
교 출신이다. 요산 김정한은 일제에 항거해 30년 동안 붓을 꺾고 작품
활동을 하지 않았다. 엄혹한 군부독재와 유신에 반대하는 문학인들의
모임인 자유실천문인협의회 고문과 민족문학작가회의 초대회장을 역임
한 김정한은 '낙동강의 파수꾼', '부산의 큰 어른'으로 칭송받았다.
　도시철도 1호선 범어사역 1번 출구로 나오면 요산 선생의 삶과 문학세
계를 스토리텔링 형식으로 소개하는 '요산문학로'가 있다.

김정한 작가의 생가 터에 자리한 3층짜리 요산문학관에는 그의 단편 소설 〈산거족〉에 나오는 "사람답게 살아가라!"는 선생의 시대정신이 여러 곳에 새겨져 있다.

김정한과 함께 부산 문학의 양대 산맥을 이루고 있는 향파 이주홍은 아동문학, 소설, 영화, 연극 등 다양한 분야에서 활동했으며 그림과 서예에도 일가를 이루었다. "현실을 타파하고 앞으로 나간다."는 선생의 호 향파(向破)가 그의 삶을 대변해준다. 나는 향파 선생이 나의 결혼을 축하하면서 보내준 『시경』의 멋진 글을 40여 년 동안 침대 머리맡에 걸어두고 있다. 요산문학관과 이주홍문학관, 김성종의 추리문학관은 부산의 3대 문학관으로 꼽힌다.

부산보훈청은 2019년 3.1운동과 임시정부 수립 100주년을 맞아 5건의 부산지역 독립유공사건을 선정하여 그 행적을 높이 기렸다. 여기에는 일신여학교 독립만세운동, 동래장터와 구포장터 만세운동, 범어사 학생만세운동, 부산학생항일의거(노다이 사건) 등이 꼽혔다.

피난민촌이 문화마을로 바뀐
상전벽해(桑田碧海)의 현장

　부산에서 최근 외국 관광객들이 가장 많이 찾는 곳은 감천문화마을이다. 개항 이후 일본인들은 용두산 북녘 자락인 복병산에 공동묘지를 설치했으나 1905년 북항 개발을 위해 북병산 토석을 채굴해나가자 묘지를 아미동으로 이전했다.

감천문화마을[VB]

1909년에는 영도와 부산진, 대신동에 있던 화장장마저 아미동 산 19번지로 이장함으로써 천마산과 아미산 사이의 감천마을은 일본인들의 공동묘지가 되었다. 일본인들은 죽어서나마 바다 건너 먼 고향을 바라보고 싶어서 바다가 내려다보이는 이곳 언덕배기를 택했는지도 모른다.

1960년대까지만 해도 일본인 유족들이 조상 묘소 참배 차 아미동을 찾아오곤 했다. 2020년 11월 비석마을의 도시재생사업 기초공사장에서 일본인 유골함들이 무더기로 발견되었다. 시(市) 당국은 조촐한 일본식 음식을 차려놓고 원혼을 달래는 위령제를 지내주었다.

광복과 한국전쟁으로 몸을 널 자리가 없던 피난민들은 공동묘지 위에 천막을 치기 시작했다. 묘지의 비석이나 상석은 주춧돌과 계단, 담장 등 건축자재로 사용되었다. 이른바 산 자와 죽은 자가 등을 맞대고 함께 살아가는 아미동 비석마을이 형성된 것이다.

당시 비석마을 피난민들에게 가장 어려운 일은 물을 길러먹는 것이었다. 상수도시설이 부족해서 마침내 사흘에 한 번씩, 하루 3시간 정도만 제한급수를 실시하자 물장수가 성황을 이루는가 하면 수도관을 뚫고 물을 빼내가는 물 도둑이 성행하기도 했다.

아미동 산동네에서 자갈치시장까지 내려가서 물 한 지게를 지고 비석마을에 오르면 출렁거리면서 절반은 쏟아져 버리는데, 그마저 흠뻑 젖은 옷차림으로 하루 2번 왕복이 고작이었다.

1957년 화장장이 낙김동으로 이진힐 때끼지 50년 동안 갑천동 아미동 일대는 저승길이었다. 장례행사 중 아미동 언덕에서 위령제를 지낼 때는 까치들이 제사음식을 노리고 모여들었기 때문에 천마산과 아미산 사이의 고개를 요즘도 까치고개라고 한다.

1955년 보수동에 본부가 있던 태극도 교도 800여 세대가 감천동으로 집단 이주하면서 한때 이곳은 태극도 신앙촌이 되기도 했다. 태극도 창

감천문화마을-정언모[VB]

시자인 조철제는 함안 칠성 출신으로 증산교 창시자인 강일순의 누이와
뜻을 같이하고 나서 전국적으로 교세를 확장했으며, 감천동 도인촌도
전성기에는 3천 가구에 1만여 명의 교인이 거주했다.

　그러나 1958년 교조가 사망함에 따라 교단이 분리되고 교세도 급속도
로 약화되었다. 여기서 분가한 한 파벌의 박한경이 대순진리회 종단을
설립했다. 이곳에는 아직도 태극도 수련장이 보이는가 하면 교주의 무
덤인 '할배 산소'도 그대로 있다.

　버려지다시피 한 감천마을이 소생한 것은 2009년 문광부가 공모한
마을미술프로젝트에 예술문화단체인 아트팩토리인다대포가 감천마을
을 대상으로 응모한 '꿈꾸는 부산의 맞추피추'가 당선되면서부터이다.
2010년 부산시는 여기에다 '미로미로(美路迷路) 골목길' 프로젝트를 추
가함으로써 저소득층의 낙후된 주거지가 문화마을로 거듭난 것이다.

부산시는 피란시절 '죽은 자의 묘지'와 '산 자의 주택'이 동거했던 아미동 비석마을 주거지를 2022년 1월 부산시 첫 번째 등록문화재로 선정하고 유네스코 세계유산 등재를 추진하기로 했다.

'부산의 산토리니', 영도 '흰여울문화마을'

'부산의 산토리니'라고 하는 영도의 '흰여울문화마을'도 전쟁의 상처를 딛고 아름답게 일어선 곳이다. 피난민으로, 도시개발로 밀려난 사람들이 산비탈에 움막을 지으면서 바다로 문을 내어 답답한 가슴을 열었다. 하얀 미로의 골목을 끼고 게딱지같은 집들이 서로 등을 기대거나 어깨를 나란히 하고 있다. 간혹 파도와 바람이 대문을 두드린다. 감천문화마을과 흰여울마을은 관광지이면서 현지인들이 살아가는 생활 터전이므

흰여울길-권기학[VB]

흰여울문화마을[VB]

로 현지 주민과 관광객이 어우러져 트래킹을 한다.

일제가 건너편 송도를 유명 놀이터로 개발하여 번창해가자, 송도보다 경관이 더 아름답다고 생각한 영도 사람들은 이곳을 제2송도라고 하여 '이송도'라고 부르기 시작했다. 흰여울마을의 원래 지명이 이송도마을이다. 다달이 내던 수업료 월사금을 내지 못한 가난한 피난민 학생 문재인이 학교에서 쫓겨나 서성거리던 해변이 이곳 이송도이다.

'흰여울'은 봉래산 물길이 마을 절벽에 떨어지면서 해안가 파도와 함께 흰 포말을 이룬다고 해서 얻은 이름이다. 흰여울길에는 맏머리계단, 무지개계단, 꼬막집계단, 피아노계단, 도돌이계단 등 5개의 색다른 계단이 있어서 걷는 재미가 더하다.

영선동에서 태종대에 이르는 절영해안길을 따라 피난민들이 실던 성냥갑 같던 집 옥상마다 이제는 아기자기한 카페를 마련하여 탁 트인 바다의 절경을 즐기고 있다. 이곳에는 바다를 반찬 삼아 맛있게 먹을 수 있는 식당도 있다. 파도소리와 갈매기소리 들으며 흰여울마을의 갈맷길 3구간을 걸으면 숨을 쉴 때마다 바다 내음이 듬뿍 묻어온다.

영화 〈변호인〉에서 돼지국밥집 아들 임시완의 집 하얀 외벽에는 "니 변호사 맞재? 니 나 쫌 도와도."라고 송강호에게 애소하던 부산 출신 배우 고(故) 김영애의 간절한 대사가 새겨져 있다.

영도의 한국해양대학교 옆에는 8천여 년 전 신석기시대 사람들이 살면서 버린 생활쓰레기와 조개껍질이 쌓여 있는 동삼동패총전시관이 있다. 이곳은 패총뿐만 아니라 화덕자리, 주거지 등 생활상이 그대로 보존되어 있어서 신석기의 대표 유적지로 꼽힌다. 1929년 동래고보의 일본인 교사가 발견한 고대 부산의 생활유적지는 국가사적 제226호로 지정되어 있다. 동삼동은 영도 동쪽의 세 마을인 상리, 중리, 하리를 일컫는데 전시관과 유적지는 하리에 있다.

피난수도 예술인들이 의탁했던 대한도기와 〈밀다원 시대〉

임시수도 시절 전국의 예술인들도 피난민이 되어 부산에 몰려들었다. 김은호, 변관식, 이중섭, 박고석, 장우성, 황염수 등 유명 화가들이 영도의 대한도자기회사서 수출용 도자기 접시에 그림을 그려주고 생계를 유

밀다원 남포동 거리[원]

김종식 그림비(인터넷)

지했다. 동양화가 변관식이 조선총독부가 설립한 공업전습소 도기과 출신이라 대한도기와 인연이 있었기에 가능한 일이었다. 장욱진을 비롯한 일부 화가들은 초량의 국방부 정훈국에서 종군화가로 활동했다.

평양 출신에 일본 제국미술학교를 거쳐 문화학원 미술과를 나온 이중섭은 대한도기의 반복된 조직생활에 적응하지 못하고 뛰쳐나와서 프리랜서로 작품 활동을 했지만, 가정을 꾸려나갈 능력이 되지 않자 부인 야마모토 마사코(山本方子, 이남덕)는 두 아들을 데리고 친정인 일본으로 돌아가 버렸다.

이중섭의 〈범일동 풍경〉과 〈문현동 풍경〉은 당시 피난생활의 단면을 여실히 보여준다. 이 무렵 20대 후반인 천경자는 독사떼를 그린 〈생태〉라는 그림을 전시하여 화단에 충격을 주기도 했다.

당시 부산일보 문화부장이던 시인 정진업은 "수도가 부산으로 바뀌었으니 이제 부산 예술인들이 주도해야 한다."는 주장을 폈으며 실제로 김종식을 비롯한 부산화가 6명은 '토벽회'를 결성하여 피난민 화단에 맞서기도 했다. 이중섭, 장욱진과 함께 일본 미술학교에 다녔던 김종식 화백은 평생 부산에서만 활동했기에 부산 최초로 '김종식 그림비'가 금정산 기슭 범어사 문화거리에 세워져 있다.

1.4후퇴로 부산에서 피난생활을 하던 예술인들의 삶을 묘사한 김동리의 단편소설 〈밀다원 시대〉에는 "지금까지는 서울 놈들이 문단을 리드했지만 이제는 부산 문인들이 주도권을 잡아야 한다."는 주장이 나왔다고 소개하고 있다.

판잣집과 다방, 그리고 길거리 책방

피난수도 부산에서 자고 나면 늘어나는 것이 판잣집과 다방이었다. 당시 부산의 다방은 예술인들의 아지트이자 서재이며 집필실이자 갤러리

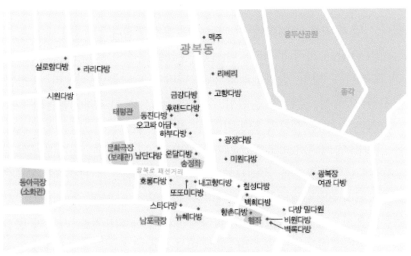

남포동 주변 다방지도[원]

보수동 책방, 권기학[VB]

였다. '옆 테이블의 대화에 귀 기울이면 유식해진다.'는 말이 나돌 듯이 당시의 다방은 지적 분위기였다. 음악감상실을 겸한 밀다원, 레인보, 에덴, 오아시스, 망향, 칸타빌레와 같은 다방에 드나들던 김동리, 황순원, 김수영, 이중섭, 김환기. 윤이상, 유치환 등 많은 문화예술인들의 지식 수원지는 보수동 길거리 책방이었다. 미국이나 일본의 선진 예술 사조를 길거리 잡지에서 터득했기 때문이다.

3백여 년 전 베토벤, 슈베르트, 카프카, 프로이드 등 문화예술인들의 사교장이자 창작공간이었던 비엔나 커피하우스가 최근 유네스코의 무형문화유산으로 지정되었듯이, 피란시절의 부산 다방들도 시간과 공간을 체험할 수 있는 문화유산이 될 수 있을 것이다.

갑작스럽게 패망 소식을 들은 일본인들은 도주하다시피 귀국하면서 귀중품과 생활필수품만 챙기다 보니 버려진 책이 집집마다 수북했다. 귀국하는 일본인들의 짐을 제한했기에 들고 가지 못한 고리짝이 통째로 거리에 쏟아져 나왔는데, 책은 거들떠보지도 않았다.

고성 출신의 책벌레 김열규 교수는 "땅 바닥에 나뒹구는 책은 노적(露積)가리 같은 보물이었다. 각종 분야의 책을 공짜로 고르고 골라 줄로 묶어서 둘러메고 왔다."고 그 당시를 회고한 바 있다.

여기에 미군 병사들이 읽다버린 잡지나 헌책들까지 넘쳐나자 너도나도 책무더기를 들고 나와 보수동 뒷골목에서 난전을 펴기 시작했다. 최초로 책 가게를 낸 사람은 북한에서 피난 온 손정린 부부로서 보수동 사거리에 박스를 깔고 미군부대에서 나온 헌 잡지나 만화책, 고물상으로부터 수집한 헌책을 팔았다.

보수동과 남포동, 대청동, 광복동 일대는 피난 온 문화예술인과 지식인들로 북적거렸다. 출판사와 인쇄소는 동광동과 보수동에 밀집했으며 구덕산 일대와 보수동 뒷산에는 피난 온 대학들이 모여 '부산전시연합대학' 간판으로 개교했다.

1937년 일본의 침략을 받은 북경의 몇몇 대학들이 먼 남쪽 윈난 성(省)의 쿤밍까지 피난 가서 전시연합대학을 공동 운영했는데, 당시 동굴 교실에서 공부했던 학생 중에 노벨물리학상 수상자가 2명이나 나왔듯이, 피난시절 부산 천막교실에서 공부한 학생들이 훗날 대한민국을 발전시킨 인재가 되었다.

1952년 부민동 이화여대 가건물에서 3.1독립정신을 기리는 뜻으로 현역시인 33명의 시낭독회가 열렸다.

박인환, 조병화, 노천명, 모윤숙 등 한국 대표시인들이 암울한 현실을 하루빨리 극복하여 새 세상을 만들자는 감동어린 절규를 듣기 위해 2천여 명의 청중이 운집했으며, 이 행사는 우리나라 시낭송의 대중화에 새

보수동 책방골목 사나이[원]

로운 이정표가 되었다.

보수동 책방골목은 중구 보수동1가 대청사거리에서 보수사거리에 걸쳐 있는 160m 정도의 좁은 골목길이지만 양쪽 서가가 터널처럼 뒤덮고 있다. 도쿄의 야스쿠니 신사와 메이지대학 사이의 2km나 되는 세계 최대의 책방거리 간다진보초(神田神保町)에 비할 바는 아니지만 전란 중에도 책을 찾는 사람들이 많았던 것이다.

나의 학창시절이었던 1960년대 초, 새 책값을 받아 헌책을 사고 학기가 끝나면 다시 내다팔면서 뻔질나게 드나들었던 보수동 헌책방 골목, 무척이나 배고픈 시절 '책 고픔'의 허기를 달래주었던 헌책방 골목 입구에, 이제는 한 아름 책을 안고 있는 중년 사나이의 동상이 서 있다. 책방이야말로 인간의 상상력을 보관하는 신비의 캐비넷인 것이다.

1970년대에는 시중에서 자취를 감춘 김지하, 양성우, 신경림 시인 등

보수동책방골목[VB]

의 금서(禁書)나 비매품, 유인물들이 이곳에서는 은밀히 거래되기도 했다. 특히 1978년에 결성된 양서협동조합이 경영하던 협동서점은 민주화운동의 수원지 역할을 했으며, 여기서 흘러나간 인문사회의 각종 정보가 부마민주항쟁의 도화선이 되었다.

보수동 책방골목 중간에 있는 중부교회의 진보적 청년들이 벌인 '좋은 책 읽기' 독서운동 뒤에는 최성묵 목사와 송기인 신부 같은 진보적 종교인이 있었다.

노무현 대통령을 모델로 한 영화 〈변호인〉에서 돼지국밥집 아들 진우도 '좋은 책 읽기 모임' 회원으로 나온다. 낭인시절 돼지국밥을 먹고 도망친 송강호가 빚을 갚는 심정으로 부림사건에 연루된 국밥집 아들을 무료 변호하는 역할을 한다.

엉광도서(홈페이지)

보수동 책방골목의 역사와 더불어

　대형서점과 인터넷에 밀려 폐쇄 위기까지 갔던 보수동 책방골목은 과거를 지향하는 이른바 '레트로 열풍'과 맞물려 새롭게 주목받고 있다. 부산의 문화 역사를 지키려는 유지들의 노력에 힘입어 보수동은 우리나라 유일한 헌책골목으로 일어섰으며, 2005년부터 시작된 '보수동책방골목축제'는 부산의 대표적인 문화행사가 되었다. 자랑스러운 부산의 문화유산이다.

　보수동 책방골목과는 별도로 서면 중심가에 사막의 오아시스처럼 향토 대형서점 동보서적이 1980년에 탄생했다. 동보서적은 독자적인 서평잡지 '책소식'을 발간하고 부산 청소년 연극제와 어린이 글쓰기 대회를 개최하는 등 부산독서문화 진흥의 구심점 역할을 했다. 동보서적은 젊은이들의 인기 만남장소가 되었다.

동보서적 입구에는 "작은 새 한 마리도 따뜻하게 품어주는 울창한 숲과 같이 우리의 생각을 소중하게 품어주는 책들의 숲입니다."라고 서점을 소개했다. 그러나 30년 만인 2010년 책방이 문을 닫았을 때 그곳을 즐겨 찾던 많은 시민들이 가까운 벗을 잃은 것처럼 허탈함을 느꼈다. 2011년 부산일보 신춘문예 단편소설 당선작인 배길남의 〈잃어버린 것들〉 첫 부분에 폐업한 동보서적 이야기가 나온다.

책방이 사라진 후에도 "동보서적 앞에서 만나자."는 약속은 오랫동안 지속되었다. 그나마 서면 토박이들은 반세기 이상 굳건히 서면을 지켜오고 있는 또 다른 책방 영광도서에서 위안을 찾고 있다. 동보서적이나 영광도서 앞에서 만나자는 약속을 해보지 않은 사람은 부산사람이 아니라는 말이 나올 정도다. 영광도서는 서점 외에도 갤러리, 공연장, 교양강좌 등 각종 문화시설을 운영한 덕분에 주변이 유흥가 밀집지역인데도 '서면 문화로'라는 새로운 지명을 얻었다. 특히 영광도서가 저자와 독자, 평론가가 함께 자리하는 독서토론회를 270회나 운영하고 있는 것은 세계에서도 그 유례를 찾기 힘들다.

부산시는 2020년 11월 사상구에 4층짜리 초현대식 도서관을 개관했다. 부산도서관은 11만 2천여 권의 도서와 오디오북, 전자책 등 8천여 비(非)도서자료를 비치하고 열람과 대출 외에도 영화, 음악, 드라마, 학술DB의 스트리밍 등 다양한 서비스를 제공하고 있다.

부산에서 치부한 일본인 갑부들

일본을 상대로 장사를 했던 동래상인과 중국을 상대로 인삼을 팔아온 의주상인, 그리고 양쪽을 조종하며 거간꾼 역할을 했던 개성상인을 조선시대의 3대 상인이라고 했다. 내상(萊商)으로 통했던 동래상인은 관청의 허가를 받아 왜관을 드나들었을 뿐, 일본을 자유롭게 왕래할 수는 없었기에 활동에 제한을 받는 공상(公商)의 기능을 갖고 있었다.

깡통시장과 도떼기시장, 그리고 40계단

한일합방 이후 일본은 기존의 떠돌이 5일장과는 별도로 일정한 장소에서 장사를 하는 방식으로 바꾸어 1910년 부평시장을 시작으로 부산진시장(1914), 초량시장과 영도시장(1932), 대신동시장과 수정동시장(1933), 영주동시장(1935), 부전동시장(1941)을 개설했다. 첫 공설시장인 부평시장은 1월 1일을 제외하고 연중무휴였다. 1924년 조선총독부가 발간한 『조선의 시장』에 따르면 부평시장은 옥내 125개, 옥외 137개로 길가점포가 더 많았던 것으로 나와 있다.

해방 후 부평시장은 미군부대에서 흘러나오는 깡통식품을 비롯하여 주방용제품, 화장품, 가전제품, 양주 등 외제품이 대종을 이루면서 '깡통시장'으로 통했다. 최근 들어 전통시장이 대형백화점이나 마트에 밀리

자성대가 보이는 부산진시장[원]

부평깡통시장[VB]

1960년대 깡통시장[원]

고 있지만, 부평시장은 1500여 개의 점포가 여전히 활기를 띠고 있다. 시장 안의 돼지국밥, 어묵, 양곱창, 갈비, 족발 등 음식도 일품이다.

부평시장과 마주보는 길 건너편은 이른바 '도떼기시장'으로 유명한 국제시장이다. 원래 이곳은 일제말기 연합군의 공격에 대비하여 모든 주택과 상가를 철거하여 공터로 비워둔 대피소였다. 시장이 외항부두와 접해 있고 국제여객터미널이 가까워 옷이나 옷감, 패션, 전자제품, 안경, 문구 등 유행에 민감한 상품들의 집산지로 유명하다. 음식도 우동, 팥빙수, 낭년, 순두부 등 젊은 층 기호에 맞춰져 있다.

6.25 전란 후 용두산공원으로 오르는 40계단 주변은 영도다리와 함께 피난민들의 만남의 장소가 되었고 암달러상들이 모여들기 시작했다. 피난시절 부산에서 취입하여 크게 히트한 박재홍의 노래 〈경상도 아가씨〉가 "40계단 층층대에 혼자 우는 나그네/ 울지 말고 속 시원히 말 좀 하세요."로 시작하기에 40계단은 갑자기 유명해졌다. 도시철도 1호선 11번 출구로 나오면 40계단 문화관광테마거리와 만난다. 40계단문화관과 소라계단 주변에 피난시대 애환을 담은 노래비와 추억의 조형물이 장식되어서 2004년 이곳은 부산의 최우수거리로 선정되었으며 영화 〈인정

1950년대 국제시장[원]

국제시장[VB]

사정 볼 것 없다〉 촬영지로 다시 유명해졌다.

1976년 몬트리올 올림픽에서 대한민국 최초로 금메달을 딴 양정모 레슬링선수는 40계단 바로 옆에 살았기에 매일 40계단을 오르내리며 체력훈련을 했다. 우승 40주년이 되는 2016년에는 40계단에서 기념행사를 가졌으며 생가에서 계단까지 다니던 300m를 '양정모거리'라고 한다.

일본 패망으로 일본인들이 남기고 간 살림도구나 귀환동포들이 갖고 온 물건, 군수품이나 전쟁구호물자를 내다파는 보따리 노점들이 계단 주변에 넘쳐나기 시작했다. 이들은 펼쳐놓은 물건들을 한꺼번에 몽땅 넘겨버리는 '도떼기' 방식의 거래를 했는데, 이들이 공터인 국제시장 쪽으로 자리를 옮겨가면서 '도떼기시장'이라는 이름이 붙었다. 도떼기는 물건을 전부 모아 돗짜리째 한 덩어리로 흥정하는 '도거리'에서 나온 말이 아닌가 한다.

40계단 기념관 새마당[원]

다섯 차례나 '큰불' 겪은 국제시장

1952년 2월 기준으로 국제시장조합이 조사한 자료에 따르면 고정 점포는 1,150점이었으며 무허가 노점상 2천여 곳과 헤아릴 수 없이 많은 행상은 대부분 피난민들 몫이었다.

국제시장 하면 '큰불'이 연상될 정도로 5차례의 대형화재를 겪었다. 1953년 설 대목인 1월 30일 밤 빼곡한 판잣집 가게들 속에 있던 술집 '춘향원'에서 손님과 종업원 간의 시비로 석유등잔을 걸어차서 일어난 불이 국제시장 전체를 잿더미로 만들었다는 것이 당시 언론보도였다. 그러나 후에 화재 원인을 조사한 결과 춘향원 2층에서 불법으로 사교

국제시장 화재[원]

댄스장을 운영했는데, 춤추던 손님의 발에 석유난로가 넘어져 발화가 된 것으로 밝혀졌다.

당시 가옥과 점포 4천 2백여 동이 전소했으며 3만에 가까운 이재민이 발생했다. 그 후에도 1956년, 60년, 68년, 92년에 대형화재가 있었다. 빽빽한 판자촌을 중심으로 너무나 자주 큰 화재가 발생했기에 부산은 '불산'이라는 오명을 얻기도 했다.

한국전쟁 당시 조선 국왕 어진을 부산 용두산공원 인근의 부산국악원에 임시 보관했는데, 휴전 이듬해인 1954년 12월 10일 새벽 그 일대 피난민 판자촌 화재로 모두 타버렸다.

2004년 시 전문지 〈시인세계〉가 시인 100명을 대상으로 한 조사에서 가장 아름다운 노래가사이자 애창곡 1위로 선정된 백설희의 〈봄날은 간다〉도 부산화재로 탄생한 노래이다.

연희전문 출신 화가이자 시인인 손로원이 피난시절 용두산 근처 판잣집 단칸방에 돌아가신 어머니 젊은 시절 사진을 고이 모셔두었다. 그런

국제시장 대화재 복구준공기념비[역]

데 판자촌 화재로 연분홍 치마에 흰 저고리 입고 수줍게 웃던 어머니 모습도 사라져 버리자 쓰라린 가슴으로 노래가사를 써 내려갔다.

손로원은 부산을 무대로 한 〈귀국선〉 〈잘 있거라 부산항〉 〈경상도 아가씨〉 외에도 〈비 내리는 호남선〉 〈물레방아 도는 내력〉 등 주옥같은 노래를 남겼다.

원도심의 창작 공간 '또따또가'와 '비콘 그라운드'

피난살이의 애환이 층층이 쌓여 있는 동광동 40계단 옆에는 최근 이름도 생소한 '또따또가'거리가 생겼다. '또'는 관용과 배려, 문화적 다양

부산, 장소를 꿈꾸다-또따또가 스토리텔링집

성을 뜻하는 프랑스어 똘레랑스(tolerance)에서 가져왔고, '따'는 개개인
이 따로 활동하면서 '또'한 같이 협업하는 거리(街. 가)라는 뜻이다. 부산
문화예술교육연합회가 주관하는 이 거리는 건물주들의 메세나 활동에
힘입어 다양한 장르의 미술인들이 개인 작업실을 운영하면서 협업도 유
도하는 원도심의 창작 공간이다.

　부산에는 도심의 회색 콘크리트 고가도로 아래에 문화예술의 생기를
불어넣는 '비콘(B-Con)그라운드'가 생활문화공간으로 새롭게 등장했
다. 수영구 망미역 주변 수영고가도로 아래 180개의 울긋불긋한 컨테이
너가 갤러리, 공방, 식당, 창작실 등으로 거듭난 것이다. 비콘 그라운드

는 부산의 B와 부산의 상징인 컨테이너의 'con'을 합친 이름으로서 우리나라 최초의 고가 밑 문화관광시설이다. 이 주변에는 예술창작과 전시공간 외에도 쇼핑, 맛집, 카페, 공연 등 다양한 문화가 펼쳐지고 있다.

망미역 근처에 있는 문화공장 'F1963'도 새로운 명물이다. 광안대교에 와이어로프를 공급했던 고려제강의 수영공장이 서점, 카페, 음악 홀, 갤러리, 도서관 등 문화공간으로 탈바꿈한 것이다. F는 Factory이고 1963은 수영공장이 설립된 해이다. 이곳의 'YES24수영점'은 우리나라에서 가장 큰 중고서점이며, 커피전문점 '테라로사 카페'와 막걸리 체험장 '복순도가'도 인기가 높다.

오늘날 우리나라에서 가장 큰 시장은 부전마켓타운이다. 지난 2006년 부전시장과 부전인삼시장, 부전상가, 부전농산물 새벽시장, 서면종합시장, 부전전자종합시장 등 6개의 특수화된 시장이 합해서 부전마켓이 된 것이다. 길 건너에 있는 서면시장과 부전기장골목시장, 서면중앙시장까지 합하면 이곳에는 정말 '없는 게 없는' 대형 시장권이 형성되어 있다.

일본인이 조선인보다 많았던 유일한 도시

애당초 경상남도의 도청은 진주에 있었다. 조선왕조는 1896년 전국 8도를 13개도로 편제하여 경상도를 남북으로 나누면서 남부의 중심지였던 진주에 도청소재지를 두었다.

일본 미나카이 백화점이 우리나라 최초로 1907년 진주에 지점을 냈으며, 부산지점 개설은 그로부터 10년 후에 이뤄졌다. 도청소재지답게 3.1 독립운동 당시만 해도 우리나라 최초로 진주기생들이 태극기를 앞세우고 남강변에서 촉석루를 향해 만세행진을 했다.

그러나 한일합방 후 대륙의 관문인 부산과 마산은 급속히 발전하는 데

F1963[VB]

비해, 진주는 상대적으로 낙후되고 말았다. 1876년 개항 당시 84명에 불과하던 부산 거주 일본인이 한일합병 4년 후인 1914년에는 조선인 26,653명보다 1601명이 많은 28,254명으로 부산부 전체 인구의 51%를 차지함으로써 부산은 일본인이 조선인보다 많은 유일한 도시가 되었다. 이처럼 부산이 급속도로 일본화하자, 당시 일본인들은 부산을 '조선의 나가사키'라고 부르기도 했다.

　일본은 명치유신 후 영토 확장 정책으로 오키나와, 북해도를 점령하면서 일본인들을 대거 이주시켰듯이, 조선을 영구적으로 일본화하기 위해 이른바 내선일체(內鮮一體)라고 하여 일본 내지인(內地人)들의 부산 이주를 적극 권장했다.

총독부가 직접 관리했던 관립 부산중학교

일본 가족들의 집단이주에 가장 걸림돌은 자녀교육이었으므로, 1913년 총독부가 직접 관리하는 명문 관립 부산중학교를 개교했다. 1류 학교답게 일본의 우수교사를 초청하고 학교건물도 8만대장경 경판처럼 목재를 1년 간 바닷물에 담갔다가 그늘에 말린 후 사용했으므로 초량의 신축교사는 개교 3년 만에 완성되었다.

나고야공고의 외국인 특별생으로 수학한 한국 최초의 근대건축가 이훈우는 부산중학을 비롯하여 보성고보, 진주일신여학교, 동덕여학교 건물을 설계했다.

부산공립중학 입시에 떨어진 일본 학생들은 대마도나 본토의 학교로 유학을 가야 했다.

이들이 방학 때 부산에 돌아와 길거리에서 부산중학 친구들과 마주치면 피하는 경우가 있었다고 한다. 일제 강점기 32년 동안 이 학교의 졸업생 3,280여 명 중 한국인도 200명 정도 있었다. 일류학교답게 부산공립중학은 훌륭한 인재들을 많이 배출했다.

일본의 한국침략을 비판하면서 식민사관의 청산을 주창하여 서강대 이기백 교수로부터 숭상을 받은 사학자 하타다 다카시(旗田巍), 일본은행 총재 사사키 타다시(佐佐木直日), 일본펜클럽회장 다카하시 겐지(高橋健二) 등이 일제 강점기 초량언덕배기를 오르내리며 공부했던 학생들이다. 1965년 한일회담의 실무주역이었던 김동조 주일대사와 일본 외무성 조약국장 다카시마 유슈(高島有終)는 일제 강점기 부산공립중학 동문이었다.

전쟁을 방불케 했던 도청 이전 반대 시위

조선총독부는 부산이 도청 소재지인 진주보다 인구도 많고 번성해지자 행정업무 편의를 앞세워 1924년 12월 8일 진주의 도청을 부산으로 옮기는 총독부령을 발표했다. 도청 이전 사실을 이틀 전에 통보받은 진주 쪽의 분노는 폭동에 가까웠다.

당시 도청이라고 해봐야 대부분이 일본인인 직원 35명 정도에 불과했지만 진주가 상대적으로 낙후된 데다 행정 주무관청까지 없어지면 껍데기 도시가 될 것이라는 우려가 컸기 때문이다.

진주시민들은 매일같이 궐기대회를 열고 도지사 관사와 전기회사를 습격하는가 하면, 상가를 철시하고 부산으로 가는 식량을 중단시키기도 했다. 한국인과 일본인의 공동대표단이 사이토 마코토(齋藤實) 총독과 담판하기 위해 상경했으나 아무런 성과가 없자 진주번영회 회장이었던 일본인 이시이 다카교(石井高曉)는 할복자살했다. 당시 동아일보 기사는 진주를 '전쟁터'라고 묘사하고 있다. 부산과 인접한 울산, 양산, 김해, 동래, 밀양 등 5개 군만 도청의 부산 이전에 찬성하고 나머지 15개 군 130여 만 명의 주민들은 반대 입장을 표명했다.

마침내 총독부는 진주 시민들에 대한 선무 차원에서 홍수 때마다 유실되던 진주남강의 임시 배다리를 철골로 가설해 주겠다고 약속하고 진주중학교와 진주여중·고 설립을 인가했다. 총독부는 그 후에도 부산에서 창원을 거쳐 진주까지 도로변에 가로수 600만 그루를 심고 근대화의 상징으로 자랑하면서 서부경남을 달래기도 했다.

경상남도에서 생산되는 각종 물품의 전시나 거래 알선, 위탁판매를 하는 경남물산진열관도 진주에서 부산으로 옮겨갔다. 그로부터 경남도청의 부산 시절은 58년간이나 지속되었다.

부산에서 치부했던 일본인들

경남 도청의 부산 이전과 함께 일본인들의 안마당이 된 부산에서 관권을 등에 업고 각종 상술을 발휘하여 크게 치부한 일본인들도 다수 있었다.

일본 와카야마 출신인 하자마 후사타로(迫間房太郎)는 부산 개항 4년 후인 1880년 오사카의 이오이쇼우덴(五百井商店) 부산지점장으로 입국하여 무역으로 모은 돈을 부동산에 집중 투자했다. 영도와 마산, 김해 등지의 임야를 조림 명목으로 무상임차 했다가 이를 가로채기도 했다.

러일전쟁 때 가덕도 일본군 포진지[역]

하자마 동래별장[역]

　겨울에도 얼지 않는 항구가 절실히 필요했던 러시아가 조선에 군사거점을 마련하고자 군함을 이끌고 영도에 상륙하여 토지매수를 요구하자 일본은 이를 막기 위해 전력투구했다. 광복동의 일본 요리집 경판정(京坂亭)에서 러시아 병사와 일본 기생 간의 다툼을 일본 언론은 대서특필했다. 하자마 후사타로는 동양척식회사를 등에 업고 부산과 마산 등지의 군사요지를 먼저 점유하여 러시아 진출을 막아냄으로써 러일전쟁에서 일본이 승리하는 데 큰 기여를 했다.

　하자마 후사타로가 소유한 진영농장은 영도의 2배나 되는 3천여 정보로서 소작인이 1만 2천 가구가 넘었으며 수탈에 시달린 소작인들이 부산까지 몰려와서 집단시위를 벌이기도 했다. 그가 취급한 무역액이 부산항 전체의 물량의 25%나 될 정도로 그는 부산경제를 쥐고 있었다.

　1920년대 초 부산에 1만 가구 정도의 조선인이 살았는데, 이들의 총

재산을 합해도 하자마 후사타로 개인의 부를 당하지 못할 지경이었다. 그의 동래별장은 커다란 자연석을 다듬어 욕조로 사용할 정도로 초호화 시설이어서 일본 왕족들이 머물기도 했다. 광복 후 동래별장은 미군정청이 접수하여 사무실로 썼으며, 임시수도 시절 부통령 관저로 사용되었으나 1960년대에는 기생들이 넘쳐나는 고급요정으로 변신했다가 2000년대 들어 관광 음식점으로 자리를 잡았다.

21세 때 부산에 와서 84세까지 조선에 살았던 하자마는 1942년 신경통 치유 차 일본에 갔다가 갑자기 사망했는데, 시신을 부산으로 운구해 와서 부산부장(釜山府葬)으로 장례를 치르고 아미산에 묻혔다.

'조선에 가면 큰돈을 벌 수 있다.'는 소문을 들은 후쿠오카 출신 카시이 겐타로(香稚源太郎)는 빈손으로 부산에 와서 바늘장사부터 시작했다. 군벌 집안 출신인 그는 스승이자 일본 해군의 창시자인 가쓰 가이슈(勝海舟)를 통해 이토 히로부미와 연결되어 많은 특혜를 받았다. 조선 왕실 소유의 진해만 어장을 비롯하여 가덕도와 마산, 거제 등지의 대규모 어장을 20년 임차로 넘겨받았다. 수산 왕이 된 그는 1907년 제빙소까지 갖춘 부산수산주식회사를 설립하여 남해안의 황금어장을 모두 손아귀에 넣었다. 중앙동의 부산도매어시장도 그의 소유였다.

그는 전기와 도자기 분야에로 사업을 확장하여 부산상의 회장, 조선전기협회장 등을 거쳐 1930년대에는 한반도 굴지의 기업인이 되었다. 1935년에는 부산시가지가 내려다보이는 부산역 맞은편에 그의 동상이 건립될 정도로 위세를 떨쳤으나 패선 후 귀국한 지 얼마 되지 않아 사망했다.

부산항 개발의 선구자이자 가장 성공한 일본인 기업가인 오이케 츄수케(大池忠助)는 개항 이전에 초량왜관으로 건너와 양곡과 잡화수입 등 무역 업무를 하면서, 왜관을 통하지 않는 곡물의 밀무역으로 큰돈을 벌었다. 자신의 이름을 건 무역회사 오이케상점이 크게 번창했으며, 업무에 지치고 바쁠 때에도 밤이면 보천사라는 야학교에서 조선어공부에 매진했다.

1897년에는 부평동에 부산 최대의 정미소를 차리고 고리대금업무도 병행했다. 특히 제때에 돈을 갚지 않는 조선인에 대해서는 곡물창고에 채무자와 가족까지 가두며 린치를 가하기도 했다. 그는 부산상업회의소 회장, 부산 번영회장, 경상남도 평의원, 각 은행 임원을 겸하면서 경제계의 대부 역할을 했다.

당시 부산에는 용두산공원, 대정공원(광복 후 충무로 로터리, 현재 서구청 자리), 고관공원 등 3대 공원이 있었는데, 고관공원은 오이케가 헌납한 돈으로 조성했기에 오이케(大池)공원이라고도 했으며 임종 2년 전인 1926년에는 공원 안에 자신의 동상을 건립했다. 오늘의 부산 동구청 자리는 그가 조성한 고관공원의 일부다.

해방 후의 부산경제와 적산기업들

이들 일본인 갑부들은 2차 대전 말기에 패전 분위기를 미리 감지하고 재산과 우리나라의 귀중한 문화재까지 일본으로 빼돌렸다. 광복 후 부산의 건국준비위원회가 이들 재산의 압류에 나섰으나 '닭 쫓던 개 지붕 쳐다보는 신세'가 되고 말았다.

부산은 일본의 대륙 침략 교두보 역할을 하면서 개항과 함께 일본인들이 경제권을 장악했다. 일제 말 부산 제조업의 80%가 일본인 소유였다. 대표적인 기업으로는 1937년 설립한 남한 최대 조선회사 조선중공업과 한때 3천 명의 종업원을 거느린 조선방직이다. 한국 쌀을 일본에 반출하기 위한 도정업도 부산의 대표업종이었다.

해방 후 이른바 적산(敵産)이라고 하는 귀속 사업체를 공장 노동자들은 스스로 관리하겠다고 주장한 반면, 미군정은 관리인을 선정함으로써 갈등을 빚기도 했다. 관리인은 불하 연고권을 갖게 되므로 치열한 로비에 따른 분쟁과 잡음이 많았다. 부산의 조선중공업, 조선방직, 흥아타이어, 동일고무벨트, 삼화고무, 동방유량, 조선견직, 대선주조 등은 일본기업에 그 기원을 두고 있다.

광복과 함께 일본과의 단절로 공장의 원료나 부품, 판로가 막혀 불하기업들이 많은 어려움을 겪었다. 귀속 사업체의 간판기업인 조선방직이 해체된 것도 이 때문이다. 게다가 일본 대신 홍콩이나 마카오 등지로 교류가 늘어남으로써 인천이 새로운 관문으로 갑자기 부상하면서 부산은 한동안 침체의 길을 걸었다.

그러나 6.25 전쟁으로 풍부한 노동력이 유입된 데다 미군 원조물자가 부산을 통해 들어옴으로써 설탕, 밀가루, 면화 등 이른바 3백(三白) 산업이 새롭게 등장하기 시작했다. 삼성의 제일제당이 부전동에서 출발한 것도 우연이 아니다. 1960년대 들어 신발, 섬유, 합판 등 노동집약적인 수출 주도산업이 부산을 보금자리로 잡았다.

부산은 고무신의 고향이자 신발산업의 메카다. 원료를 모두 해외서 수입해왔기에 관문이었던 부산이 최적지였던 것이다.

아직도 생생한 범표(삼화고무), 말표(태화), 기차표(동양), 왕자표(국제), 타이어표(보생) 등 우리나라 대표 신발기업 8개 중 6개가 모두 부산에 몰려 있었다.

부암동의 진양고무, 당감동 동양고무, 가야동 태화고무, 범천동 삼화고무, 전포동의 대양고무와 보생고무, 범일동의 국제화학 등이 1960년대부터 1980년대까지 번창했으나 자체 브랜드 대신 주문생산에 의

존하면서 보다 임금이 싼 중국이나 베트남, 인도네시아 등지로 생산기지가 서서히 넘어갔다.

1980년대 중반까지만 해도 국제상사는 종업원이 15,700명이었으며, 동양고무가 12,700명, 삼화 9,200명, 태화 8,600명, 진양 7,000명 순이었으며 후발주자인 박연차의 태광실업도 중간 그룹이었다.

부산은 고무신의 고향이자 신발산업의 메카

신발 한 켤레 만들기 위해 424번의 손길을 정성으로 쏟았던 여성들은 한 집에 서너 가구가 등을 맞대고 있는 이른바 '하꼬방' 생활을 하면서 부산경제와 우리나라 수출입국의 견인차 역할을 했다.

한때 리복과 나이키 등 최고 운동화를 만들었던 신발공장 자리에 이제는 고층 아파트가 들어서 있다. 신발산업의 상징적 인물인 양정모 국제그룹 회장이 부암동에 설립한 진양화학을 기념하는 커다란 신발 조형물이 부암 로터리에 전시되어 옛 영광을 되새기고 있다.

각종 신발공장과 삼류극장이 몰려 있던 범곡 교차로 일대는 교통의 요충지로서 임시정부 시절 교통부가 있었기에 아직도 교통부라는 지명이 통한다.

신발공장의 태동지인 개금동에는 신발전문박물관이 있다. 영화 〈1987〉에서 이한열이 신었던 타이거신발을 복원하는데 7개월이 걸렸다고 한다. 지독한 본드 냄새가 나는 열악한 환경에서 땀과 눈물로 일했던 '수출산업의 역군'은 부산경제의 젖줄이었던 것이다.

박물관에는 부산 출신 유도선수 하형주의 310mm 거함(巨艦)신발, 최초 올림픽 금메달리스트 양정모의 레슬링화, 엄홍길의 등산화, 서장훈의 농구화, 이대호의 야구화, 이동국의 축구화도 전시되어 있다. 요

한국신발관(달콤한 육아 블로그)

즘은 족압(足壓) 측정기를 통해 팔자걸음, 오리걸음, 안짱걸음, 까치걸음 등 보행 습관까지 분석하여 맞춤신발을 제작하고 있다.

　그나마 부산 신발의 명맥을 유지하기 위해 신발 분야의 중소기업들이 글로벌 히든 챔피언을 노리며 틈새시장을 파고들고 있다. 노바인터내셔널이 미국 올버즈와 손잡고 양모 극세사로 생산한 신발은 타임지로부터 '세계에서 가장 편한 신발'로 평가를 받으면서 기업가치가 1조 원이 넘어선 올버즈는 유니콘 기업이 되었고, 노바는 2018년 국내 금탑산업훈장을 받았다.

　이 밖에도 워킹화의 지지코리아, 스포츠화의 학산, 레인부츠의 브랜드 비, 발광 다이어드 어린이 신발의 한백디자인연구소, 스니커즈의 마우, 댄스화의 아다지 등이 돋보인다. 특히 2018 평창 동계올림픽 개·폐회식 무용수들의 신발을 제공한 아다지는 최근 피트니스 붐을 타고 줌바 댄스, 팁 댄스, 라인댄스, 재즈댄스 등 각종 댄스화는 물론 무용화, 체조화, 요가화 등 기능성과 아름다움을 겸비한 특수화 방면에서 주목 받고 있다.

부산시는 개인 맞춤형 신발문화를 더욱 활성화하기 위해 '인조이 슈즈 부산(Enjoy Shoes Busan)' 슬로건을 내걸고 젊은 세대를 상대로 다양한 디자인의 신발체험을 할 수 있는 '상상마당'을 서면에 마련했다.

기업 이주의 와중에서도 선전하는 향토기업 파크랜드

부산은 태생적으로 공업용지가 크게 부족한 곳이다. 새롭게 마련한 사상공단도 수용에 한계가 드러나자 의욕적인 중견기업들이 외지로 떠나기 시작했다.

미원중기가 창원으로, 부산파이프가 포항, 럭키 계열사는 청주와 양산으로, 조선견직은 경기도 양주, 거화는 평택으로 옮겨갔다. 1970년대 후반부터 20년 간 1,400여 기업이 부산을 떠났다.

그나마 부산에 바탕을 둔 굴지의 기업들이 정치사회 변혁기를 맞아 기업외적 사연으로 사라지고 말았다. 삼화고무와 조선견직, 부산문화방송의 소유주 김지태, 세계 최대 합판회사이자 수출1위 기업인 동명목재의 강석진, 세계 최대 신발제조업체이면서 우리나라 재계 서열 7위인 국제그룹 양정모 등의 몰락은 부산경제에 큰 아픔이 되었다. 부산은행만이 우리나라 200위 안에 들어가는 부산의 토종기업으로 얼

파크랜드 신사복공장(홈페이지)

굴을 내밀고 있을 정도다. 대기업이 없는 도시 부산은 제조업이 줄어
듦으로써 고용율도 낮아 취업을 바라던 젊은이들에게 매력을 잃었다.

1995년 부산은 광역시로 거듭나면서 지금의 강서구와 기장군이 편
입되어 11개의 공단이 새롭게 조성되었다. 그러나 우리나라 16개시도
평균 고용률이 61%인 데 비해 부산은 56%로 가장 낮은 편이다. 15세
이상 64세까지 생산 가능한 인구 중 취업비율이 가장 낮다는 것이다.
따라서 대기업이 없는 데다 기업 이주에 따른 인구감소가 지속적으로
일어나고 있다.

기업구조도 과거 신발, 합판, 섬유에서 자동차와 그 부품, 철강, 주단
조 등 기계 중심으로 변했으며 반도체, 디스플레이 등 첨단산업이 없
는 것도 특징이다.

최근 들어 부산은 제조업 대신 서비스업으로 부상하고 있다.

영화, 금융, 전시산업이 부산을 이끌고 있으며 도소매와 운수업도 일익을 담당하고 있다.

그나마 부산의 향토기업이라면 1973년 소규모 보세가공(OEM)업체로 출발하여 양복시장의 돌풍을 일으키며 정장업계 1위로 올라선 파크랜드가 떠오른다. 1980년대까지만 해도 백화점의 고급양복은 삼성이나 LG, 코오롱 등 대기업이 차지했기에 파크랜드는 중저가의 틈새시장을 개척하기 시작했다. 지금까지 '메이드 인 코리아'의 자존심을 지켜오고 있는 해운대의 파크랜드 반여공장에는 양복상의에 165개 공정, 바지는 82개, 셔츠는 75개의 빈틈없는 공정을 거친다.

40년 간 한 우물을 판 파크랜드는 전국 600여 매장의 상당수가 20년 이상이며 2대를 걸쳐 매장을 운영하는 곳도 25개나 된다. 매출액에 따라 수수료를 지급하고 재고는 본사에서 전량 회수하기에 장수 대리점이 많다고 한다.

정장과 캐주얼, 스포츠의류 분야까지 10개의 브랜드를 거느리는 종합 패션그룹 파크랜드는 200만 명이 넘는 파크랜드 고객의 데이터베이스를 토대로 온라인과 가상공간 시장 진출을 서두르고 있다. 파크랜드는 시대 변화에 따라 '미세먼지 차단 슈트'와 같은 첨단 기능성 제품들을 잇달아 출시하고 있다.

일제 강점기 때 부산을 본부로 한 금융기관 부산상업은행이 1913년 3월 이규직과 일본 상공업자들 주축으로 금평정(광복동)에 설립되었다. 마산과 진해 등지로 지점을 확장하면서 20여 년간 사세를 키워가던 중 거액 대출을 해준 수산회사가 부도남으로써 1935년 6월 조선상업은행에 병합되고 말았다.

경남지역에 대한 일제의 수탈 교두보였던 동양척식회사 부산지점이 광복 후 미국 영사관 겸 미국문화원으로 바뀌었는데, 1982년 3월 18일 불평등 한·미관계 개선과 5.18의 미국 책임 등을 주장하는 대학생들의 시위 방화사건으로 큰 수난을 겪었다. 침략과 고난의 상징인 이 건물을 환수 받은 부산시는 과거의 아픈 역사터를 교육장으로 활용하기 위해 2003년 부산근대역사관으로 개조했다.

맛의 도시 부산

 우리나라 미식가들이 뽑은 '한국의 맛 도시' 1위가 부산이고 2위가 제주, 3위가 속초이다. 맛 도시의 공통점은 생선 비린내가 풍기는 곳이다. 부산은 각 지역 사람들이 어울려 사는 도가니(melting pot)인 데다 풍부한 해산물 덕분에 다양한 지역의 음식들이 경쟁하고 보완하면서 발전되어온 것이 특징이다.

 2009년 부산광역시는 생선회, 동래파전, 흑염소불고기, 복요리, 곰장어구이, 해물탕, 아귀찜, 재첩국, 낙지볶음, 밀면, 장어요리, 돼지국밥, 붕어찜 등 13개 요리를 부산향토음식으로 선정했다.

돼지국밥 등 피난생활에서 생겨난 서민음식들

 돼지국밥은 6.25 전쟁 중 미군부대에서 흔하게 구할 수 있는 돼지 뼈를 진하게 우려낸 육수에 돼지고기 편육과 밥을 넣어 만든 국밥에서 시작했다. 돼지국밥 골목이 서면에 형성된 것은 그곳에 하야리아 부대가 있었기 때문이다. 대구나 밀양에도 돼지국밥이 있지만 부산 식은 돼지 사골을 오래 우려내기에 색깔이 탁하고 국밥 위에 각종 양념을 한 부추를 푸짐하게 얹는 게 특징이다. 부추는 워낙 건강에 좋은 남새라서 집을 허물어버리고 그 자리에 심는다고 하여 파옥초(破屋草)라고 하는데, 부

돼지국밥(인터넷)

추를 길게 썰어 들깨가루, 새우젓, 고춧가루 양념으로 무친다.

허영만 화백은 요리 순례기인 〈식객〉에서 "소 사골로 끓인 설렁탕이 포장도로 같은 모범생이라면, 부산의 돼지국밥은 비포장도로의 반항아 같다."고 비교하는가 하면, 부산 출신의 최영철 시인은 "돼지국밥을 먹으면 숨어 있던 야성이 살아난다."고 했다.

실제로 내 주변에는 돼지국밥을 먹으려고 당일치기로 부산을 다녀오는

범일동 할매국밥

친구도 있다. 부산 범일동 조선방직 앞과 서면 일대의 돼지국밥 골목을 다녀오면 생기가 솟는다고 한다.

2018년 3월 문재인 대통령은 부산항 행사에 참석한 후 돼지국밥으로 오찬을 하면서 "역시 부산 돼지국밥이 최고야."라고 거듭 찬사를 곁들였다. 부산 출신의 '가요계 황제' 나훈아가 즐겨 찾는 범일동의 50년 전통 할매국밥집은 돼지국밥 한 그릇이 5,500원이라 가성비도 훌륭하다.

국제신문사가 시민들이 즐겨 찾는 인기 돼지국밥집을 조사한 결과 대연동의 쌍둥이 돼지국밥과 양정의 늘해랑이 각각 1, 2위를 차지했다. 돼지국밥은 이제 부산사람들의 소울 푸드가 되었다. 현재 부산에는 700여 곳의 돼지국밥집이 있으며, 한두 곳의 돼지국밥 단골집을 갖고 있지 않으면 부산사람이 아니다.

월남(越南)하여 팔자를 고친 밀면

밀면은 흥남시 내호리에서 냉면집 '동춘면옥'을 하던 정한금 씨가 흥남 철수 때 피난생활을 하던 우암동에서 '내호냉면' 식당을 열었으나 메밀이 귀해 구하기 어려워서 메밀 대신 구호물자인 밀가루에다 감자나 고구마 전분을 넣어 쫄깃한 맛을 낸 냉면이다. 밀면은 감칠맛이 떨어지는 것을 보완하기 위해 강하고 자극적인 양념을 쓰고 이가 시릴 정도로 차가운 육수로 얼큰한 맛을 냈다.

피난시절 부산 어느 제면소(製麵所)에서 품팔이를 한 소설가 이호철은 자신의 경험을 토대로 쓴 소설 〈소시민〉에서 북녘의 피난민들이 소울 푸드인 냉면을 먹으면서 고향을 떠올리는 장면이 자주 등장한다. 지금도 부산사람들은 밥 대신 면을 즐겨 찾는다.

우암동은 일제 때 소[牛] 수탈을 위한 가축 대기소이자 검역소였기에

내호냉면(인터넷 블로그)

소막마을이라고 했으며, 실제로 마을 뒷켠에 소 모양의 큰 바위가 있었는데 1930년대 대규모 매축공사 때 사라져 버렸다. 2,400마리의 소를 수용하던 40동의 축사가 흥남 철수 피난민들의 수용소로 쓰였고, 화가 이중섭도 처음에는 이곳 소 막사에 수용되었다.

일제는 이곳 우암동 일대를 매립하여 적기(赤岐, 아카자키)라고 불렀다. 내호냉면은 1919년 흥남에서 동춘면옥으로 개업했으니 4대째를 이어오는 100년 전통의 노포(老鋪)가 되는 셈이다. 영화감독 곽경택의 아버지도 흥남에서 함께 피난을 왔기에 중학생 시절 내호냉면 배달원으로 일했다고 한다. 5만여 명의 피난민이 북적거렸던 우암동 소 막사가 이제는 피난수도 문화유적지로 등록되어 있다.

우암동 골목을 나오면 두 팔을 벌리고 서 있는 높다란 예수님의 동항성당과 마주하게 된다. '한국의 리오데자네이루'로 통하는 동항성당은

6.25 전란 때 천막성당으로 시작하여 피난민 구호와 복지에 앞장섰기에 지역민과 밀접하다. 근처의 우암동 도시 숲은 야경의 달빛 조형물이 유명하여 젊은 연인들이 '부산의 라라랜드'로 활용하고 있다.

피난민들 배를 불리던 구포국수

우암동 소막마을[역]

구포국수도 6.25 전쟁 통에 피난민들이 싼 값에 배불리 먹었던 서민음식이다. 이제는 구포의 특산품이 된 구포국수의 역사체험관에서 다양한 국수를 즐길 수 있다. 구포는 조선시대 곡물 집하장이어서 영남제분, 거북제면소, 김봉옥제면소 등 굴지의 국수공장이 일찌감치 들어섰기에 국수의 요람이 될 수 있었다. 구포(龜浦)는 주산인 범방산 자락이 물을 마시는 거북이 모습이라고 하여 붙여진 이름이다.

구포는 유장한 낙동강 하구의 물류기지여서 조선시대 1628년 조세창고인 감동창이 설치되면서 구포상이 번성하기 시작했다. 1919년 3월 29일 구포장날에 모인 1천2백여 명 장꾼들이 독립만세를 외친 3.1 만세운동은 가장 규모가 크고 격렬한 상인들의 저항이었다.

이 지역 출신의 경성의학전문학교 학생 양봉근이 독립선언서를 청년들에게 전달함으로써 일어난 만세군중이 구포주재소를 공격하자 군경의 발포도 있었다. 구포역에서 구포시장에 이르는 '구포만세길' 옆에 있

구포 만세거리(부산북구청 홈페이지)

는 '구포장터 3.1만세운동 기념비'에는 이 사건으로 옥고를 치른 43명 의인들의 이름이 새겨져 있다.

2020년 5월에는 구포만세운동을 기념하는 사제맥주 '구포만세329'가 나와서 큰 인기를 끌고 있다. 전국 지방자치단체 최초로 부산 북구청은 수제맥주 전문 펍 '밀:당브로이'를 운영하면서 낙동강 하류 화명생태공원 둔치에서 경작한 밀을 원료로 만든 생맥주 '구포만세329'를 출시하여 관광 콘텐츠로 활용하고 있다.

조개의 발이 새의 부리처럼 생겼다는 새조개는 겨울철 샤브샤브로 인기 메뉴이지만 낙동강 하류에는 바다의 새조개와 비슷한 갈미조개가 큰 인기다. 갈매기 부리처럼 생겼다고 해서 갈미조개라고 한다.

분홍이나 오렌지 색깔의 갈미조개와 삼겹살을 함께 구워먹는 '갈삼구이'를 김과 깻잎에 싸먹으면 별미다. 갈미조개는 샤브샤브뿐만 아니라 탕, 전골, 수육도 있다.

부산시어(市魚)이자 국민생선으로 만든 고등어갈비

또한 '국민생선'인 고등어는 부산공동어시장에서 전국의 80%가 유통되기에 부산시어(市魚)로 지정되어 있다. 육류가 귀하던 시절, 기름기가 많은 고등어 배를 반으로 갈라 석쇠에 구우면 돼지갈비처럼 연기가 난다고 해서 고등어갈비로 불리기 시작했다. 1980년대까지만 해도 용두

용두산공원부산타워에서 바라본 원도심[원]

산공원 아래 옛 미화당백화점 뒷켠에 '고갈비' 전문 골목이 있었다.

고갈비가 고등어구이라는 것을 아는지 모르는지가 부산사람 구별기준이 될 법도 하다. 요즘 값싸고 맛있는 고등어구이를 찾는 부산 토박이들은 남부민동 공동어시장 구내식당으로 간다. 고등어 살을 추어탕처럼 으깨서 시래기와 버물어 끓인 고등어해장국은 부산에서만 맛볼 수 있는 숙취 해소제이다.

매년 10월 하순이면 송도해수욕장에서 고소한 풍미가 느껴지는 부산 고등어축제가 열린다. 맨손으로 고등어잡기, 고등어 회 썰기 대회, 고등어 살 발라 먹기를 비롯한 고등어 요리 경연대회가 열린다. 부산의 맛있는 고등어를 브랜드화한 '부산맛꼬'를 우체국 쇼핑몰이나 공영쇼핑을 통해 판매지원하고 있다.

유엔묘지, 경무대, 임시중앙청 등 피난수도유산 8곳이 유네스코 세계문화유산에 등재되었으며, 이곳을 둘러보며 향토음식을 맛보는 피난수도투어도 있다.

어묵 하면 부산

부산은 역시 어묵의 도시다. 전국 100여 개 어묵공장의 거의 절반이 부산에 모여 있다. 삼진어묵, 부산어묵, 고래사어묵, 환공어묵 등이 전국적인 브랜드로 알려져 있다. 어묵에 두부, 계란, 곤약 등을 넣어 장국에 익힌 오뎅은 겨울철 포장마차의 진미다. 부산은 어묵의 고향답게 매년 다대포에서 어묵축제가 열린다. 부평동 깡통시장 어묵골목에는 20여 개의 식당과 매장이 줄지어 있다. 남포동에는 소 사태살의 힘줄이나 근육을 고아 졸깃졸깃한 맛을 낸 스지어묵탕도 유명하다. 어묵탕 안의 푸짐한 유부주머니만 먹어도 허기가 가시고 요기가 된다.

1910년 부평정시장에서 일본인이 경영하던 '가마보코'가 1945년 동광식품으로 거듭 태어난 것이 우리나라 최초 어묵공장이지만, 오래 지속되지 못하고 문을 닫아버렸다. 부산어묵의 역사는 그 뒤에 이어진다.

일본에 징용 가서 어묵 기술을 배운 박재덕 씨가 1953년 영도 봉래시장 곁에서 국내 최초로 시작한 어묵공장이 삼진어묵이다. 당시 어묵은 피난지 부산의 값싸고 영양가 높은 단백질 섭취원이었다. 미국 유학생

부산어묵(인터넷)

활을 중도에 접고 대를 이어 삼진어묵 경영을 맡은 박영준 대표는 "어묵은 반찬이 아니라 식량이다."라면서 미래의 각종 식품으로 변신하여 7년 동안 매출을 40배로 늘렸다.

조선 숙종 45년의 궁중연회 행사 소개에 나오는 '생선숙편'이 우리나라 최초의 어묵에 대한 기록이라고 어묵 권위자인 미국 오리건주립대학의 박재원 교수는 밝히고 있다.

어묵에 사용되는 생선은 질이 낮아 그대로 먹을 수 없는 찌꺼기로 만든다는 잘못된 선입견이 있지만, 기름이나 껍질, 이물질은 제거하고 깨끗한 생선살만 골라 어묵 원료인 연육(練肉)을 만든다. 부산어묵조합은 수분을 제외한 전체 원자재의 70% 이상이 연육(수리미)이어야만 '부산어묵'으로 인정해준다.

치킨에 지방 함량이 14%, 감자튀김이 18%인 데 비해 어묵은 튀겨도 기름이 침투하지 않아 지방 함량이 3%를 넘지 않는다. 차가운 어묵을

얇게 썰어 생선회처럼 겨자 간장에 찍어 먹으면 어묵의 진미를 맛볼 수 있다. 최근에는 어묵 속에 새우나 불고기, 카레 등을 넣어 튀긴 어묵고로케와 빵처럼 만든 어묵 베이커리가 크게 인기를 얻고 있다. 요즘은 치킨과 맥주의 '치맥' 대신 맥주에 어묵과 감자튀김을 곁들인 '어맥'이 부산 젊은이들의 인기메뉴다.

선거철이 되면 모든 후보가 제일 먼저 찾아가는 곳이 재래시장이며, 친숙한 서민이미지를 돋보이기 위해 반드시 사먹는 음식이 어묵이다. 그러나 뒷골목 시장바닥에서 겨우 행세하던 어묵이 이제는 건강식, 별미식 등으로 다양화·고급화하여 백화점, 면세점에 진출했으며, 해외수출도 꾸준히 늘어나고 있다.

자갈치사장의 꼼장어구이와 양곱창구이

돼지국밥, 밀면, 어묵 등 부산의 향토음식은 대부분 해방과 한국전쟁을 전후한 피난민들의 주린 배를 채우던 시절에 탄생했다. 일제 강점기 가죽생산 재료였던 먹장어가 꼼장어(곰장어)라는 이름으로 식탁에 오르게 된 것도 이 무렵이다.

부산 연안에 대량 서식하고 있는 곰장어 껍질을 가죽으로 가공하여 나막신 끈이나 일본군 모자 테로 만들던 박피 공장이 자갈치 시장 근처에 있었다. 곰장어는 깊은 바다에 살기에 눈이 퇴화되어 '눈먼 장어'라고 하여 먹장어라는 이름이 붙었다. 껍질이 벗겨진 채로 10시간 이상 '꼼지락거린다.'고 해서 꼼장어로 불리게 되었다.

피난민들이 자갈치시장으로 몰려들면서 버려지던 먹장어 살을 구워서 팔기 시작했다. 구이 외에 꼼장어 찜과 꼼장어 묵도 등장했다. 자갈치시장의 양념 꼼장어 구이는 양파와 대파, 고추장을 버무린 뒤 노릇노릇 구

자갈치시장 꼼장어(인터넷)

자갈치시장 양곱창골목(인터넷 블로그)

워진 꼼장어를 야채나 깻잎에 싸서 먹는다. 구이의 명물은 역시 기장 지역의 짚불 꼼장어. 꿈틀거리는 장어를 짚불 속에 던져 넣었다가 꼬들꼬들 오그라들기 시작하면 면장갑을 끼고 껍질을 훑어낸 후 가위로 잘라 소금장에 찍어 먹는다.

자갈치시장 건너편 남포동의 자갈치로47번 길에는 양곱창 골목이 있다. 한때는 100여 가게가 성업했으나 지금은 30여 집이 명성을 유지하고 있지만 여전히 우리나라 최대 소양곱창 식당거리. 양곱창구이는 소의 첫 번째 위장인 양과 작은창자인 곱창을 구워먹는 요리다.

항구도시인 부산에 소가 유명한 것은 일제 강점기시대 품질 좋은 조선의 소를 일본으로 반출하기 위한 소 검역소가 우암동에 있었고 육류유통을 위해 부산 곳곳에 도축장이 있었기 때문이다. 원래 일본인은 소의 내장을 먹지 않았으나 우수한 영양성분이 다양하게 함유되어 있다는 식품학자들의 연구보고가 나오자 요즘은 양곱창집이 부산을 찾는 일본 관광객들의 필수코스가 되고 있다.

산성막걸리와 찰떡궁합인 동래파전

동래파전도 부산의 명물이다. 찹쌀, 멥쌀과 밀가루를 다시마 육수에 버무린 다음 기장 특산물인 조선쪽파와 미나리, 소고기, 굴 등을 넣고 달걀 푼 것을 덮어서 두툼하게 만든 동래파전은 바싹한 맛이 아니라 걸쭉한 게 특색이며 식사 대용이 되기도 한다. 요즘은 각종 해물이 풍성하게 들어가서 식감에다 색감까지 곁들이고 있다.

강남 갔던 제비가 돌아온다는 삼월 삼짇날이 되면 동래부사가 동래파전을 임금님께 진상했으며 일본 사신에게 접대할 정도로 고급 요리였다. 일제 강점기 동래부에 속해 있던 기생들이 면천되면서 파전 기술을

동래할매파전(인터넷 블로그)

갖고 나와 기생집을 열기 시작했다. 동래파전이 1930년대 들어 동래시장에 등장함으로써 서민들에게 가까워졌으며 "파전 먹으러 동래장에 간다."는 말이 나올 정도로 인기음식이었다.

기장쪽파는 비옥한 황토밭에서 바닷바람을 맞아 몸매는 작지만 색깔이 선명하면서 감칠맛이 나는 특산품이라 농산물 지리적 표시 제105호로 등록되어 있다. 조선쪽파가 출시되는 봄이 제철이며 쪽파가 생산되지 않는 겨울에는 가게가 문을 닫는 곳이 많다. "검은 머리 파뿌리 되도록 살자."는 말이 있듯이 파는 장수식품이다.

특히 비오거나 우중충한 날 동래파전과 산성막걸리는 찰떡궁합이라 동래파전을 '막걸리 파전'이라고도 한다. 전분이 많은 파전 밀가루와 해물에 들어 있는 아미노산, 비타민B는 몸 속 탄소화물 대사를 높여 우울증 해소에 도움이 된다는 연구보고가 있다.

최근 중소기업벤처부와 소상공인시장진흥공단은 4대째 손맛을 이어온 부산동래할매파전을 '백년가게'로 선정했으며 부산시도 민속음식점 1호로 지정했다.

파전 하나에 22,000원에서 40,000원으로 값이 비싼 편이라 그런지 요즘은 내국인보다 일본 관광객들이 동래파전을 즐겨 찾는다.

학교 이름까지 바꾼 대변항의 멸치회와 기장 미역

기장의 대변항은 남해 미조항, 거제의 외포항과 함께 우리나라 3대 멸치 집산지이다. 싱싱한 멸치회로 유명한 대변항은 조선시대 큰 공물창고가 있는 변방의 포구라는 뜻의 대동고변포(大同庫邊浦)였다.

긴 지명을 줄여서 대변포, 대변항이라고 했는데, 대변초등학교는 학교 슬로건인 '푸른 꿈 가꾸는 대변 어린이'가 거슬린다고 하여 용암초등학교로 이름을 바꿨다.

대변항은 부산항과 함께 1876년에 개항한 우리나라 대표 항만이어서 전국의 요충지에 세운 흥선대원군의 척화비(斥和碑)가 대변에도 있다.

먼 바다에서 겨울을 지낸 멸치는 봄이 되면 산란을 위해 근해로 몰려온다. 봄멸치는 길이 15cm나 되는 왕멸치라서 횟감으로 이용하고 가을멸치는 젓갈이나 찌개용으로 쓴다. 살이 두툼한 봄멸치를 매운 양념에 자작자작 끓여서 상추나 깻잎에 싸먹는 멸치쌈밥이나 회무침, 구이, 튀김은 밥도둑으로 통한다.

멸치는 성질이 급해서 잡히면 바로 죽어버리기에 살아있는 멸치를 먹을 수 있는 사람은 선원들뿐이라고 한다. 멸치라는 이름에도 사연이 있다. 작아서 멸시를 당한다고 하여 멸(蔑)치라고 하는가 하면, 성질 급해서 금세 죽는다고 하여 멸(滅)치라고도 한다. 멸치는 조류에 따라 그물이

기장 대변항 멸치털이(인터넷 블로그)

흘러가는 유자망(流刺網)으로 잡으며 대변항은 우리나라 유자망 어획고의 60%를 차지하기에 기장군은 멸치를 군어(郡魚)로 지정했다. 한류와 난류가 교차하면서 물살 센 곳에서 자란 대변멸치는 맛이 고소하고 졸깃졸깃한 것이 특징이다.

오영수의『갯마을』은 이곳 대변 학리에서 멸치 터는 일로 연명해가는 젊은 과부의 애환을 다룬 소설이다. 소설의 첫머리에 나오는 'H라는 조그만 갯마을'이 학리를 나타낸다. 울산 언양 출신인 오영수가 해방 무렵 이곳에서 거주한 일이 있다.『갯마을』덕분에 이 지역에는 오영수의 문학비가 2군데나 있다.

대변항은 해양수산부가 선정한 100대 아름다운 어촌에 들어 있다. 느지막한 봄철, 멸치 떼를 안고 도는 은빛물결에 햇볕이 쏟아지면 눈이 시리도록 부신다. 해안가 식당에 앉아 싱싱한 멸치회를 맛보면서 멸치 터는 모습을 보면 삶의 활기를 느낄 수 있다.

그물에서 튀어나오는 은빛 비늘이 창공(蒼空)에서 춤추는 모습은 아름답지만, 멸치 터는 일은 노동 강도가 매우 높은 극한 작업이라 요즘은 동남아인들이 힘든 일을 도맡다시피 하고 있다.

기장 하면 미역을 빼놓을 수 없다. 궁정에서 왕후가 출산했을 때 첫 번째 밥상에는 기장 미역국이 올라갈 정도로 기장 미역은 임금님 진상품이었다. 요즘은 양식 미역이 주류를 이루지만 기장에는 해녀들이 바위에 붙은 자연산 돌미역을 채취하고 있다.

기장 미역은 조류가 세고 수온이 낮은 북방 형이어서 줄기와 이파리가 좁고 두터운 편이다. 기장 미역은 국을 끓이면 잘 풀어지지 않아 "쫄쫄이'라고 하며, 생으로 먹으면 오들오들 식감이 좋다.

완당, 짭짤이 토마토, 조방낙지

중국집에서나 만날 수 있는 완당이 부산의 별미이자 향토음식으로 정착한 지 70년이 넘는다. 1947년 서구 부용동에서 시작하여 남포동에 자리 잡은 18번 완당집은 3대로 이어지는 부산의 대표 노포다.

각종 해물로 맛깔스럽게 우려낸 육수와 함께 얇은 습자지처럼 하늘거리는 작은 만두가 후루룩 부드럽게 목으로 넘어가므로 "구름을 마신다."고 표현한 묵객도 있다. 밀가루 반죽 두께가 0.3mm도 안 되는 완당피가 끓는 육수에 50초 정도 담겨야 제 맛이 난다고 한다. 대나무 발 그릇에 담아 나오는 졸깃한 면발의 발 국수도 완당과 잘 어울린다.

김해에서 부산으로 편입된 대저동은 짭짤이 토마토로 유명하며 '부산의 덴마크'로 불린다. 대저는 낙동강과 바닷물이 만나 퇴적한 삼각주 지

완당(인터넷)

조방낙지(인터넷 블로그)

역이라 염분이 높고 미네랄이 풍부한 것이 특징이다. 작으면서도 야무지며 당도가 높으면서 짭짤한 대저 토마토는 별도의 종자가 있는 것이 아니다. 9월에 파종하여 2월에 수확하는 동안 추위를 견디면서 발육이 억제되어 단단하고 선명한 색깔로 영그는 것이다.   대저토마토는 원산지를 표시하는 특산물로 인정받아 값도 일반 토마토보다 2배나 비싸다.

그러나 부산시가 낙후된 서부 지역에 에코델타시티와 신도시 주거지를 조성함으로써 짭짤이 토마토 농민들이 대거 밀려나고 있다.

대저에서 생산된 토마토가 아니면 지리적 표시제인 대저토마토도 사라질 판이다. 소금기 모래밭에서 자라는 그 유명한 명지대파도 도시개발로 사라지고 있다.

싱싱한 해산물이 많은 부산에는 이 밖에도 조방낙지, 복국, 회국수, 회백반, 해물라면, 비빔당면, 세꼬시(뼈째회), 씨앗호떡 등 특유의 별미들이 수두룩하다. 개방적이면서 유연한 해양도시 부산은 미꾸라지가 귀하고 비싸지자, 각 지역마다 흔한 제철 생선을 삶아 걸러낸 육수에 시래기, 토란줄기, 고사리, 숙주, 대파 등 야채와 방아잎, 제피가루, 다진 마늘, 청양고추를 넣어 조리한 바다추어탕을 만들어내기 시작했다. 영도의 고등어추어탕, 기장 방계추어탕, 해운대 매가리추어탕, 강서구의 붕장어추어탕, 낙동강하구의 웅어추어탕이 가을 보양식으로 자리 잡고 있다.

세계의 주목을 받는 커피 향의 도시

최근 부산은 커피 향 넘치는 도시로 세계의 주목을 받고 있다. 2019년 4월 보스턴에서 열린 제20회 세계바리스타대회에서 부산 모모스커피의 전주연 이사가 바리스타 챔피언으로 선정되었기 때문이다. 55개국의 대표가 참가한 보스턴 경연에서 전주연 씨는 우리나라 최초이자 여성으

모모스커피(인터넷 블로그)

로서는 세계 2번째 우승의 영광을 차지했다. 전주연 씨는 우승소감에서 "부산을 커피 도시로 만들어서 세계 커피 애호가들이 부산으로 찾아오게 하는 역할을 하고 싶어요."라고 밝혔다.

온천장역 2번 출구 근처에 있는 모모스커피점의 나무문을 밀고 들어서면 무성한 대밭이 먼저 반긴다. 세계 80여 개 커피 농장을 직접 방문하여 고품질 생두를 구입하고 있다는 모모스에서는 파나마의 에스메랄다 핸드 드립 커피 한 잔에 15,000원을 받는다. 커피 맛은 원두가 8할, 도구인 그라인더와 잔이 1할, 내리는 사람이 1할이라고 한다. 부산대역 아래 온천천 일대는 커피와 디저트 중심의 라라라페스티벌이 열리며 전주연 바리스타의 특별강연도 곁들인다. 2021년에는 부산 동서대 경호학과 출신의 추경하 바리스타가 월드컵 테이스터스 경연대회에서 챔피언으로 등극함으로써 부산은 시애틀, 도쿄, 멜보른과 같은 세계 유명 커피도시의 반열에 오를 수 있게 되었다.

부산이 배출한 2명의 세계 바리스타는 영도 봉래동 물양장 창고에 대규모 커피점을 새롭게 열었으며, 2030년 엑스포 부산유치를 위해

부산커피박물관(인터넷)

두바이 박람회장에 함께 나가서 부산의 커피 맛을 세계인들에게 알리고 있다.

커피가 우리 생활 속에 자리 잡은 것은 6.25 때 유엔군을 통해 인스턴트커피가 들어오면서부터이다. 커피 맛은 신선한 원두가 좌우하는데 커피의 주재료인 수입 생두 90%가 부산으로 들어오므로 부산은 커피의 메카가 되었다. 부산시는 2020년 바다를 배경으로 경관과 맛을 겸비한 유명 커피집 35곳을 선정하여 '낭만카페 35선' 가이드북으로 소개했다.

군부대 옆이라 인스턴트커피가 처음으로 등장한 서면에는 전포 카페 거리가 유명하며 '부산커피박물관'도 있다. 박물관에서는 세계 각국의 진기한 커피머신을 구경하면서 각종 커피를 시음할 수 있다. 전포 카페 거리는 젊은 층 감각의 카페와 레스토랑이 들어서고 해외 관광객들이 찾아오기 시작하자 서울의 이태원처럼 국제거리로 변해가고 있다.

미국의 CNN방송은 2017년 전포 카페거리를 한국에서 꼭 가봐야 할 50곳 중 하나로 선정했는가 하면, 뉴욕타임스는 2017년 꼭 가봐야 할 세계명소 중 하나로 선정했다. 부산은 전포 카페거리 외에도 부산의 대학로인 경성대, 부경대 주변과 동래의 생태하천인 온천천 주변에 카페거리가 새롭게 등장하고 있다.

부산에는 5천여 개의 전문 커피점과 1만 5천 명의 전문 인력이 있는 커피 도시이며 온천천과 전포, 영도를 커피산업특화거리로 조성하고 있다.

건축가 곽희수의 설계로 2016년 문을 연 기장 월내리의 카페 '웨이브 온 커피'는 지래드 곤이 제주에 운영하는 '몽상드 애월'을 제치고 카카오 내비의 카페분야 검색 1위로 등극했다. 콘크리트로 독창적인 조형미를 구축해온 건축가 곽희수의 야심작 웨이브 온은 2018년 건축문화 대상을 받았으며, 갤러리 같은 4층 건물에다 테라스의 모든 좌석이 탁 트인 아름다운 바다를 향하고 있다.

연간 100만 명 이상 고객이 찾아오고 하루 매출이 1천만 원 이상이라고 하니 커피숍이 4명의 주차안내원을 두고, 주문을 해야만 자리에 앉을 수 있게 하는 것도 이해가 간다.

부산시는 최근 아름다운 풍광을 배경으로 멋진 공간을 활용한 유명 맛집 134곳과 35곳의 낭만카페를 선정했다. 커피는 딱딱한 벽면이 아니라 산과 강과 바다가 어울리는 탁 트인 공간에서 마셔야 제 맛이 나기 때문이다. 부산을 찾는 외지인들에게 지역문화와 관광을 함께 즐기는 카페투어가 새로운 명성을 얻고 있다.

특히 커피를 사서 옥상 테라스로 올라가 바다를 마주하며 즐기는 루프탑 카페가 부산에서만 가능한 연인들의 낭만코스이다. 그 중에서도 산복도로 꼭대기의 적산가옥을 개조한 우유카페 '초량1941'이 이색적이다. 적산가옥 특유의 이국적인 분위기도 있지만 홍차 우유, 바닐라 우유, 말차 우유 등 병에 든 우유만 고집한다. 예전에 매일아침 유리병에 담긴 배달우유를 즐겨 마셨던 고객들은 어릴 적 향수를 잊지 못해 우유병을 기념으로 갖고 가기도 한다.

가덕도의 대구와 일본식 명란젓

겨울철 부산의 진미는 북태평양에서 산란을 위해 가덕도로 몰려오는 대구에서 찾는다.

조선시대 왕실 진상품에는 가덕서 잡은 건대구, 반건대구, 대구 알젓, 수컷의 이리젓 등이 포함되어 있으며 "가덕대구 한 마리, 포항대구 열 마리하고 안 바꾼다."는 말이 있다.

입이 크다고 해서 이름을 얻은 대구는 고니의 암컷보다 이리의 수컷이 더 귀하며 대파와 무만 넣어 끓여도 뼛속까지 시원한 맛을 즐길 수 있다. 대구는 탕도 좋지만 바닷바람에 꾸덕꾸덕 말린 대구포는 쫀득쫀득 술안주로 일품이다.

부산의 입맛이 일본에 건너가 크게 성공한 경우도 있다. 일본 최대 명란젓 회사인 후쿠야(富久屋)의 창업자 가와하라 도시오(川原俊夫)는 1913년 초량에서 태어나 부산공립중학교를 졸업하고 30대 초반까지 부산에서 살았다.

패전 후 큐슈 하카다에 가서는 어렸을 적 부산에서 즐겨먹던 매운맛의 명란젓 김치가 그리워, 1949년 초부터 매운 맛을 약간 줄인 일본식 명란젓을 개발해서 팔기 시작했다.

일본은 일반적으로 명란젓을 '타라코(鱈子)'라고 하는데, 후쿠야는 매

철거전 남선창고[원]

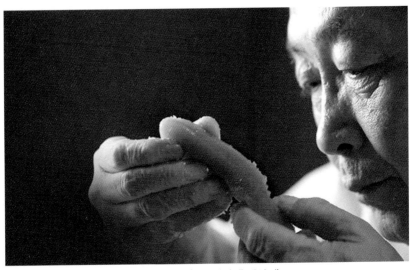

장석준 명인(덕화명란 홈페이지)

운 명란젓에 '멘타이코(明太子)'라는 부산에서 부르던 이름을 붙였다. 다시마, 가다랑어 등을 우려낸 조미액에 명란을 담아 만든 일본식 순한 맛이 기본이지만, 부산식의 아주 매운맛 '돗까라' 제품도 있다.

알래스카와 북해도의 혹한에서 자란 명태 알을 더운 지방에서 요리하여 하카다의 대표 특산물이 된 멘타이코는 일본 전역에서 크게 각광받고 있다. 후쿠오카 캐널시티에 본사가 있는 후쿠야 홈페이지의 회사소개 글은 "후쿠야 멘타이코의 기원은 한국이다."로 시작하고 있다.

명태는 가장 이름이 많은 생선이다. 갓 잡이 올린 명태는 생태, 얼리면 동태, 어린 것은 노가리, 낚시로 잡으면 조태, 그물로 건지면 망태, 말리면 북어, 얼고 녹기를 반복하면 황태, 하얗게 마르면 백태, 검게 마르면 먹태, 꾸들꾸들 말리면 코다리 등 60여 가지의 이름을 갖고 있다. 그만큼 우리 조상들이 명태를 즐겨 먹었다는 뜻이다.

일본의 명란젓에 자극받은 부산의 장석준은 1993년 덕화푸드를 창업하여 명란젓개발 외길을 걸어오면서 대한민국 최초로 수산 제조가공 분야 명장이 되었다. 이제는 아들 장종수가 소금, 고춧가루, 마늘을 넣은 조선명란을 복원하는 일에 매진하고 있다.

명란젓은 명태 알에 단순히 소금을 넣은 젓갈류가 아니라 염장식품으로 발전시키면서 미식으로 브랜드화한 것이다.

일제 강점기에 함경도서 잡은 명태를 싣고 와서 보관하던 북선창고(후에 남선창고로 개명) 흔적이 초량시장 인근에 있다. 명태가 가득 쌓여 있었기에 '명태고방'으로 통했다.

30여 년 전부터 기후변화로 동해안의 명태가 사라졌지만, 원양어획에 의존해야 하기에 입항장인 부산이 명란젓 가공의 최적지가 된 것이다. 부산의 명란젓은 2006년 부산 명품 수출 수산물로 공인되었으며 덕화명란은 2011년 '청주로 빚은 저염명란'으로 수산물 브랜드 금상을 받았다.

　한국에도 팬이 많은 일본의 먹방 드라마 〈고독한 미식가〉의 주인공인 이노가시라 고로 역을 맡은 배우 마츠시게 유타카(松重豊)가 2019년 말 후쿠오카에서 쾌속선을 타고 2시간 만에 부산을 찾아왔다. 그는 "이 맛은 일본에서는 먹을 수 없지."라면서 낙지와 곱창, 새우가 주 재료인 해산물 전골 '낙곱새'를 감칠맛 나게 먹는 장면이 방영되자 채 한 달도 안 되어 도쿄 신오쿠보에 똑 같은 메뉴가 등장했다.

부산을 제대로 통째로 바꾸는 '부산 대개조(大改造)'

　부산의 맛은 해산물에만 의존하는 것이 아니다. '영남의 젖줄'이라는 낙동강 뱃길을 따라 예로부터 내륙의 각종 토산품이 수운(水運)의 요지인 구포나루로 몰려들었다. 물류 중심지로서 선박과 인부들이 법석이던 구포나루터에 이제는 대형 아파트들이 하늘을 찌를 듯이 들어서 있다.

　그나마 아파트 입구에는 감동진(甘同津)과 감동창(甘同倉) 자리라는 안내표지가 옛 영광을 증언하고 있다. 구포의 감동진 나루와 상주의 낙동진, 합천 율지의 밤마리나루가 낙동강 3대 나루터였으며 그 중에서도 정부의 세곡을 보관하던 감동창은 조선의 거점 물류창고였다. 경상도 일대서 거둬들인 공물을 여기서 보관했다가 인천을 거쳐 한양으로 싣고 갔던 것이다.

　이중환은 『택리지』에서 낙동강은 상주의 옛 이름인 낙양의 동쪽을 흐른다고 해서 붙여진 이름이라고 설명했지만, 가락국의 동쪽을 끼고 흐르는 강이라는 설이 더 유력하다.

　1932년 개통 당시 구포다리는 아시아에서 가장 긴 다리라고 하여 낙동장교(洛東長橋)라고 했다. 인근 주민들의 축하 속에 다리 건설은 마쳤으나 교각에 가설된 조명등의 전기료 부담을 놓고 구포와 김해가 실랑이를 벌였다. 결국 다리 위에서 줄다리기 시합을 통해 전기료 부담 지역을 결정하기로 양쪽 주민대표가 합의했는데, 결전에서 진 김해 청년들

구포무장애숲길(인터넷)

이 그날 밤 다리 위의 조명등을 돌팔매로 모두 부숴버렸다는 일화도 있
다. 낙동장교는 2003년 태풍 매미 때 상판까지 강물이 넘쳐 고희를 겨
우 넘기고 철거되었다.

　부산은 그 이름에서도 알 수 있듯이 평지 대신 산과 언덕이 많은 도시
지만 구포에는 평탄하면서도 아름다운 숲길, '무장애숲길'이 있다. 구두
를 신고 걷거나 보행약자들과 함께 걸어도 아무 장애가 없다고 해서 붙
여진 이름이다. 숲길을 벗어나 하늘바람전망대에 서면 저 멀리 가덕도
와 화명생태공원, 김해국제공항이 보인다.

스마트시티 조성과 금융허브

부산은 일제가 만든 기초설계 위에서 성장해온 도시이지만, 앞으로 새로운 방향으로 변신·도약하기 위해 2019년 초 '부산 대개조(大改造)'를 선포했다. 부산을 '제대로 통째로' 바꾸는 대대적인 혁신정책이다. 부산 직할시는 개항과 함께 가장 먼저 개발된 원도심과 전통적인 역사 유적지 동래, 중심상권의 서면, 해운대의 신흥 주거지 동부산, 낙동강 하류의 공단지역 서부산 등 5개 구역으로 구성되어 있다. 슬럼화 되어가는 구도심 지역을 재개발하고 기장과 강서구에 신도시를 건설하는 것이 대개조의 큰 줄거리이다. 그동안 부산 시내를 단절시키면서 도심의 발전을 막아온 경부선 선로를 지하화(地下化)함으로써 친환경 녹지와 쾌적한 주거지를 마련하는 것이 우선 목표이다.

이를 위해 120년 동안 부산의 원(原)도심 확장을 가로막고 주변을 슬럼화시켰던 범천동 철도차량정비단을 강서구 송정동 부산신항역 인근으로 이전을 추진하고 있다. 우선 2021년에는 부산진역사 부지에 도서관과 박물관, 기록관, 백신접종센터 등 문화복합공간을 설립했다.

또한 새로운 스마트시티 조성을 위해 기존의 강서 에코델타 외에 사상공단의 첨단산업화, 센텀의 ICT 및 영상콘텐츠 집적화, 금융센터로 자리 잡은 문현 지구의 핀테크 블록체인 특구화, 북항 영도시구의 동북아물류중심 기지화 계획을 실행하고 있다. 동남권 관문공항 건설과 함께 사상에서 해운대까지 지하고속도로도 추진하고 있다.

정부가 2004년 부산을 금융허브로 지정한 후 한국주택금융공사, 기술보증기금, 한국거래소, 한국자산관리공사, 한국예탁결제원, 주택도시보증공사 등 공공금융기관이 부산으로 내려왔으며, 2014년 문현동에 부산국제금융센터가 들어서면서 부산은 명실상부한 금융산업 클러스터가 형성되었다. 그 중에서도 선물, 옵션 등 파생상품과 해양금융은 부산의 전략적 육성부문이다. 부산은 비트코인과 같은 가상화폐를 안정적으로 관리하는 '블록체인규제자유특구'로 지정됨으로써 디지털시대를 선도하는 금융도시를 꿈꾸고 있다.

2030 세계박람회를 위한 노력

특히 부산은 2030년 5월 1일부터 6개월간 치러지는 세계박람회를 유

2030 엑스포 유치 포스터

치하기 위해 전력을 쏟아 붓고 있다. 1993년의 대전박람회와 2012년의 여수박람회는 인정 엑스포(Recognized)인 데 비해 부산이 추진하는 박람회는 최상등급의 등록 엑스포(Registered)로서 월드컵, 올림픽과 함께 지구촌 3대 메가 이벤트로 통한다.

유치 여부는 2023년 11월의 BIE(국제박람회기구) 총회에서 170개 회원국 투표로 결정된다. 부산시는 정부, 유치위원회, 코트라와 공동으로 2022년 3월말까지 열리는 두바이세계박람회의 한국관에 부산홍보부스를 별도로 운영하고 있다.

부산의 자매도시인 상해가 2010년 5월, 190개국이 참가한 엑스포를 성공적으로 치름으로써 중국의 상해가 세계의 상해로 부각된 것처럼 부산도 세계 속의 글로벌 도시로 발돋움할 수 있기를 기대하고 있다. 부산 북항 일원에서 월드 엑스포가 개최되면 160여 개국에서 5천만 명 이상이 참가하여 경제적으로 생산 유발효과가 약 43조 원, 부가가치 유발효과가 18조 원에다 50만 명의 고용창출 효과가 기대된다.

북항에는 부산의 새로운 랜드마크가 될 오페라하우스 설립 공사가 지금 한창이다. 시드니 오페라하우스가 오렌지 모양인 데 비해 2023년에 완공되는 부산 오페라하우스는 아이스링크장을 닮았다. 지하2층, 지상5층의 오페라하우스에는 1,800석 대극장과 300석 소극장 외에 야외공연장과 각종 편의시설을 갖추고 있다.

가덕신공항과 세계화에 대한 열망

부산을 비롯한 인근 경상도 사람들이 가장 열망했던 '가덕신공항 특별법'이 제정됨으로써 2029년부터는 서울을 거치지 않고 직접 미국이나 유럽으로 왕래할 수 있게 되었다. 2030엑스포 유치와 남부권 공동번영,

가덕신공항 유치 궐기대회 현수막-국제신문(부산시 홈페이지)

부산의 동북아해양수도 정착을 위해서는 장애물과 소음 피해가 없는 24시간 운영의 제대로 된 관문공항이 무엇보다 중요하기 때문이다.

부산과 울산, 경남을 하나의 생활권으로 묶는 인구 8백만의 메가시티가 조성되면 부울경은 동북아 8대 경제권으로 부상하여 한국의 새로운 성장 동력이 될 것이다.

부산은 이미 항만, 공항, 철도의 트라이포트(Tri-Port)를 구축함으로써 동북아의 물류기지로 도약하는 발판을 마련했다.

부산의 강남으로 통하는 센텀시티는 해운대지구의 한적한 벌판이 첨단산업단지로 변한 상전벽해의 상징이다. 이 지역은 일제 때 군사비행장이었다가 6.25 전쟁 때는 유엔군비행장으로 바뀌었으며 1958년 민간항공의 수영비행장이 되었다가 1976년 김해로 공항이 이전함에 따라 한동안 컨테이너 야적장이었다.

부산의 맨해튼이 된 센텀시티는 아시아 최고 영화제인 부산국제영화제 전용관 '영화의 전당'을 비롯하여 2005년 APEC 정상회의가 열렸던 벡스코(부산전시컨벤션 센터), 세계 최대 백화점인 신세계 센텀시티점 등이 돋보인다. 벡스코는 2002년 한·일 월드컵 조 추첨 장소가 됨으로써 부산을 세계에 알리는 공신이 되었다.

동남아시아 10개국의 연합체인 아세안(ASEAN) 특별정상회의가 2019년 11월 부산 벡스코에서 열린 것을 계기로 부산은 그 자체의 위상과 자주적 도시외교 역량을 높임으로써 우리 정부가 추진하는 신(新)남방정책을 부산이 주도해나갈 계획이다.

동북아의 해양수도인 부산에서 '사람 중심의 평화와 번영의 공동체'로 나아가자는 '부산선언'을 채택한 것이다.

Dynamic Busan, MICE산업으로 글로벌화 시동

부산의 슬로건은 'Dynamic Busan'이다. 2004년 시민공모로 채택한 이 슬로건은 개방적이고 진취적인 부산시민의 기질을 나타내면서 관광, 경제, 교육, 문화 등 모든 분야에서 역동적으로 발전하는 모습을 상징하고 있다. 득히 부산은 시민 누구나 걸어서 15분 거리인 2km 안에서 교육, 의료, 공원, 문화시설 등의 인프라를 촘촘히 이용할 수 있는 '15분 도시'를 지향하고 있다. 특히 '어린이 복합문화공간 들락날락 500곳'을 선정하여 자동차로 15분 안에 도서관과 디지털 기기를 결합한 체험관, 미디어아트 전시관, 인공지능을 활용한 어학학습관 등 창의적 교육장을 마련하고 있다. 프랑스 파리나 미국의 포틀랜드, 호주 멜버른 같은 유명

도시들도 삶의 질 향상을 위해 '15분 도시' 실현에 주력하고 있다.

부산은 2020년 초, 정부가 국가전략 차원에서 중점 개발할 첫 번째 국제관광도시로 선정되었다. 부산은 기본적인 관광인프라가 가장 우수하며, 해양을 끼고 있어서 관문도시로 발전할 수 있을 뿐만 아니라 다양한 축제와 역사문화를 갖고 있어서 수도권에 대응하는 남부권 관광거점도시, 글로벌 관광도시로 성장하는 발판을 마련하게 되었다. 이를 계기로 부산은 부가가치가 높아서 굴뚝 없는 황금산업으로 평가받는 이른바 MICE(Meeting회의, Incentive인센티브, Convention컨벤션, Exhibition전시)산업에 주력할 계획이다. MICE산업에서 앞서가고 있는 싱가포르를 제치고 '아시아의 제네바'가 되겠다는 것이다.

부산시는 국제관광도시 사업이 끝나는 2024년까지 부산을 방문하는 외국인 관광객을 현 300만 명에서 1000만 명으로, 외국인관광객의 재방문율을 현 27%에서 60%까지 늘림으로써 2030월드 엑스포 유치를 달성시키겠다는 것이다.

요즘 부산은 기장의 오시리아 관광단지 개발이 한창이다. '오시리아'라는 낯선 이름은 이곳 동(東)부산의 관광명소인 오랑대와 시랑대의 첫 글자에다 땅을 의미하는 '이아'를 붙인 것이다. 여의도 면적의 1.3배에 해당하는 87만 평 부지에 4조 원을 투입하여 숙박, 레저, 쇼핑, 테마파크 등 사계절 복합명품레저 시설을 2024년까지 마무리하면 부산이 국제관광도시의 중심이 될 것으로 기대하고 있다.

그동안 부산은 대형 크루즈선이 잠시 들렀다가 지나가는 기항(寄港)이거나 일부승객만 승하선 하는 준(準)모항 역할을 했으나, 이제는 부산이 출발지와 도착지의 모항(母港)이 되는 테마 크루즈선을 유치함으로써 숙박, 음식, 교통, 쇼핑 분야에서 지역경제 활성화와 파급효과가 높을 것으로 기대된다.

부산은 항구이므로 태생적으로 해운, 항만, 물류가 핵심 사업이 될 수밖에 없다. 부산은 다른 나라에서 부산항을 거쳐 미국, 중국, 일본 등지로 향하는 환적화물 처리량이 싱가포르에 이어 세계 2위이며, 항만 연결성지수는 3위, 연간 컨테이너 물동량은 세계 5위를 기록하고 있다.

건국 이래 최대 항만공사인 북항 재개발사업이 금명간 마무리되면 부산은 글로벌 스마트 항구로 최고 수준의 경쟁력을 갖추게 될 것이다. 항공, 항만, 철도가 결합한 트라이포트의 복합물류시스템이 글로벌 경쟁력을 높이는 요체이지만, 부산은 항만과 철도가 우수한 데 비해 공항은 아직 미흡하다.

부산은 해양관광 1번지답게 국내 최초로 요트나 보트 등 레저 선박의 건조, 수리, 전시, 판매와 연구개발을 한 자리에서 할 수 있는 마리나 비즈니스센터를 2021년 남구 부암부두 해양산업 클러스터에 건립했다.

부산사람들은 오륙도를 바라보며, 응어리를 바다에 토해버리고 살아간다. 부산의 시조(市鳥)인 갈매기 울음 따라 기장에서 가덕도를 되돌아오는 7백리 푸른 갈맷길은 부산사람들의 모든 응어리를 받아주는 곳이다.

갯벌길, 해변길, 갈대밭길, 숲길, 호수길 등 9개 코스 중 가장 인기가 높은 길은 제2코스로서 해운대 문탠로드에서 동백섬, 민락교, 광안리해수욕장, 이기대공원, 오륙도 유람선 선착장까지 6시간 동안 해안 풍경을 만끽할 수 있다. 이 살맷길 코스와 우리나라에서 가장 규모가 크고 오래된 보수동 책방골목이 슬로우 시티(Slow City) 관광명소로 지정되어 있다.

부산시는 지난 2009년 세계 최초로 평화로운 마음으로 느리게 걷고 천천히 돌아보며 삶의 휴식과 여유를 찾을 수 있는 슬로우 시티 협력도시에 가입했다. 이를 계기로 부산시는 '수려한 산과 아름다운 강, 푸른 바다를 바탕으로 푸르고 쾌적하며 걷기 좋고 즐기기 좋은 녹색도시를 지향하는' 그린 부산(Green Busan)을 선언했다.

부산에는 바다를 끼고 52km나 되는 해안 순환도로가 있다. 가덕도와 거제도를 잇는 거가대교를 비롯하여 신호대교, 을숙대교, 남항대교, 북항대교, 광안대교가 이 도로에 속한다. 특히 길이 7.4km로 우리나라 최대 해상교량인 광안대교는 밤이 되면 최첨단 조명장치로 아름다운 은하 바닷길로 변하기 때문에 환상의 '다이아몬드 브리지'로 통한다.

매일 푸른 바다를 바라보며 해조음(海潮音)을 듣고 사는 부산사람들은 행복하다. 파도소리는 어머니의 자장가라고 할 수 있다. 바다(海)라는 한자에는 어머니가 자리 잡고 있기 때문이다. 프랑스어로 바다와 어머니를 '메르'라고 같이 발음하는 것은 우연이 아닐 것이다.

바다를 보면 우선 머리와 가슴이 시원해진다. 바다에 안기면 긴장이 완화되고 상처받은 마음이 치유되며 깨달음도 얻을 수 있다. 잠을 자면서도 해조음 들으면 깨달음을 얻는다고 불교의 〈능엄경〉도 밝히고 있다. 힌두교는 흐르는 물을 바라보는 것 자체가 수행이다.

어느 날 거센 물결의 항하를 물끄러미 쳐다보는 공자에게 제자 자공이 "왜 물만 바라보십니까?" 하고 물었다. 이에 공자는 "물의 이치를 생각하고 있다. 물은 참으로 위대하다."라고 답했다.

이른바 기돗발 잘 듣는다는 전등사, 낙산사, 남해 보리암, 여수 향일암 등 1천년 관음사 4곳이 모두 바다를 향하고 있다. 부산 기장의 해동용궁사는 불경소리보다 파도소리가 더 크게 들릴 정도로 바다와 가장 가까이 있는 해수관음도량이다.

흐르는 물을 보면 근심과 걱정이 흘러가고 마음이 맑아진다고 하여 예로부터 지체 높은 선비는 항상 물을 관조하는 고사관수(高士觀水)를 생활화했다. 조선시대 예언서인 『정감록』에는 해도진인(海島眞人)이라고 하여 바다와 더불어 사는 사람 중에 훌륭한 인재가 많다고 했는데, 그래서인지 부산은 많은 인재를 배출했다.

조선시대에는 섬사람들이 반역을 일으킨다고 하여 바다를 멀리하다가 개화기 때 처음으로 바다를 열었다. 최남선은 신체시 〈해(海)에서 소년에게〉를 통해 기존 관습을 무너뜨리고 문명개화를 강조하는 바다의 힘을 최초로 노래했다.

해외무역에 의존했던 근대화 과정에서도 해양 정책과 해양문화를 적극 수용함으로써 우리나라는 기적과 같은 경제번영을 이루었다.

워라밸의 부산사람들이 걱정해야 할 일

2019년 고용노동부 발표에 따르면, 부산은 직장에서의 업무생활과 퇴근 후 사생활이 균형을 이루는 이른바 워라밸(Work and Life Balance) 지수가 서울을 제치고 전국 1위를 차지하고 있다. 부산사람들은 충분한 휴식과 자유시간을 가짐으로써 일과 가정이 양립할 수 있는 문화, 즉 '저녁이 있는 삶'을 누리고 있는 셈이다.

그러나 최근 부산의 가장 큰 걱정거리는 우리나라 어느 지역보다 출산율이 크게 추락하고 있다는 점이다. 부산의 인구는 인천보다 48만 명이 많은데도 2018년 출생아 수는 19,152명으로 인천보다 935명이 적었다.

통계청에 따르면 2020년 가임여성이 평생 출산할 것으로 예상되는 합계 출산율이, 인천은 0.83명인 데 비해 부산은 0.75명으로 세계에서도 그 유례가 없을 정도로 낮은 수치다. 부산은 1995년 389만여 명을 정점으로 25년 간 50여 만 명이 줄어서 2020년 8월 기준 340만 1,072명으로 조사되었으며, 저출산 고령화에다 코로나19로 혼인 감소까지 겹쳐서 지난해 부산 인구의 자연감소가 7,925명이나 된다. 이런 추세로 아기의 울음소리가 계속 줄어간다면 2034년에는 부산이 제2의 도시 자리를 인천에 내주어야 할 것으로 보인다.

실제로 2018년 부산의 초·중·고등학교 전체 학생 수가 인천보다 302명이 적었는데, 2019년에는 2,653명으로 그 격차가 더 벌어졌다. 학령인구 감소로 2011년 이후 11년 동안 도심에 있는 초등학교 12곳, 중학교 8곳, 고등학교 2개 학교가 폐교되었다.

산복도로에 있는 좌성초등학교는 1980년대 초만 해도 2천여 명이던 전교생이 30년 만에 56명으로 줄어 2021년 2월 12명을 졸업시키면서 교문을 닫고 재학생들이 뿔뿔이 흩어졌다.

부산은 전입자보다 전출자가 더 많은 인구의 순유출현상이 지난 1989년 이후 30여 년 한해도 거르지 않고 계속되고 있다. 최근 20년 간 부산 사람 26만 명이 서울 경기 인천 등 수도권 3개 시도로 거주지를 옮겼다. '앵두나무 처녀' 노래가사처럼 이쁜이도 금순이도 서울을 향해 단봇짐을 싸고 있다. 국토 12%인 수도권에 우리나라 인구 절반 이상이 거주하고 있는 데다 모든 자원이 수도권에 집중되어 있으므로 지방 소멸은 갈수록 심화되고 있다.

2019년의 경우 순유출이 발생한 12개시도 가운데 부산이 13,520명으로 최고치이며 그 중 20대가 절반을 차지하고 있다. 이런 추세라면 2021년 8월 현재 335만 9,527명인 부산지역 총 인구가 50년 후인 2070년이면 193만여 명으로 줄어들 것이라는 어두운 전망치도 있다. 게다가 부산은 노령화 추세도 두드러져 '노인과 바다'라는 오명을 듣고 있다.

인구감소는 조용하면서도 서서히 우리 사회를 파괴하는 핵폭탄이나 다름없으므로 특단의 조치가 있어야 할 것이다. 영국 옥스퍼드대학 인

붓싼뉴스(부산시 홈페이지)

구문제연구소는 2016년 "한국이 지구상에서 가장 먼저 사라질 국가"라는 암울한 전망을 내놓았다.부산시는 기존의 출산율 제고 못지않게 청년 유출을 막는 인구 활력 대책도 서두르고 있다.

가마솥 도시 부산사람들의 화끈한 유튜브 〈붓싼뉴스〉

산을 등에 업고 바다를 가슴에 안은 채 사는 부산사람들은 경우가 바르고 화끈하다. 부산시민재단이 전 국민을 대상으로 실시한 조사에서 부산 하면 떠오르는 것 1위는 해운대이고 그 다음이 부산사람들의 투박한 성격, 강한 의리와 억센 사투리를 꼽았다.

부산 사람들은 돌려 말하지 않고 직설적으로 짧게 말하기 때문에 부산 사투리는 거칠고 강하게 들린다. 무뚝뚝하고 사교성은 없지만 솔직하면서 꾸밈없이 자신의 속마음을 간단히 표현하는 부산사람들의 대화소통은 단 두 마디로 끝낸다.

"됐나?"

"됐다."

피난시절 부산 성남초등학교와 인연을 맺고 동래여중을 나왔으며 부산 베네딕토 수녀원의 수도자가 된 '국민 이모' 이해인 수녀님이 관찰한 부산사람들의 특징에 공감이 간다. 부산사람들은 표현은 거칠고 투박하지만 속은 깊고 따뜻하다는 것, 좋은 것을 보아도 감탄사를 아끼고 속으로 간직한다는 것, 자신이 선한 일을 하고도 공치사를 하지 않고 칭찬받는 것을 쑥스러워한다는 것, 의리를 중요시하며 행동보다 말이 앞서지 않는다는 것 등이다.

부산사람들의 삶이 녹아 있고 역사가 담겨 있는 부산사투리의 특징은 된소리로 발음하는 것이다. 꼼장어, 깔꾸리, 오늘또, 국빱, 껀지다. 땡기다, 쫍다, 깨꼼하다(개운하다), 짜매다, 쪼께(조금)로 발음하며 '천지 삐까리(추수 때 볏가리가 논 곳곳에 가득 쌓여 있듯이 매우 많이 있는 것)' '삐떠커먼 와 뿔따구 내노(걸핏하면 왜 화를 내느냐)' '니가 캤다 아이가 (너가 그렇게 했지 않느냐)' 등등……경음화(硬音化) 격음화(激音化) 현상

이 어느 지역 보다 강하다. 뼈가 있는 채로 썰어먹는 회, 세꼬시가 처음 부산에 상륙했을 때 원래 일본 발음은 '세고시(せごし.背越し)' 또는 '세오시'였는데 부산사람들의 적성에 맞지 않아 강하게 변화시켜 버렸다.

최근 코로나19의 창궐을 막기 위해 부산시가 보급한 캠페인 노래 〈쫌 쫌 쫌〉은 "1~2m 거리 쫌 띄우자, 마스크 쫌 쓰자, 손 쫌 씻자." 등으로 생활수칙을 위트 있게 전달하고 있다. 그런가 하면 광복절을 전후한 도심의 대규모 집회로 코로나 확진자수가 갑자기 늘어 거리두기가 엄격해지자 소상공인들이 "불안해서 못 살겠다. 또 개천절 집회? 제발 같이 쫌 살자."는 플래카드를 내걸었다.

부산광역시는 2018년 11월부터 우리나라 최초로 부산의 고유자산인 부산사투리로 각종 소식을 전달하는 유튜브 채널 '붓싼뉴스'를 출범시켰다. '행님 누부야 여러분'으로 시작하는 이 방송에서 딱딱하게만 느껴지던 서울말 뉴스도 '빵원 제로페이 쓰라카이'나 '오빠야 셀카봉 챙기라'와 같이 부산사투리에 담으면 훨씬 정감 있고 이해가 쉬워서 갈수록 시청자들의 호응이 높아지고 있다.

한국학의 거두 김열규 교수는 "부산은 각지서 모여든 떠돌이 모래알들을 찰흙으로 변화시키는, 이름 그대로 뜨거운 가마솥 도시다."라고 정의한 바 있다. 탁 트인 풍광과 삶의 다양한 모습이 담겨 있는 부산에 매력을 느끼지 못하는 사람은 아마 인생에 싫증이 난 사람일 것이다.

그런데 부산사람들이 모이면 어쩐지 부산하고, 부산스럽다. *

부산 없으면 대한민국 없다

천일의 수도, 부산

초판인쇄 2022년 3월 24일
초판발행 2022년 3월 31일

지은이 김동현
펴낸이 이재욱
펴낸곳 (주)새로운사람들
디자인 김남호
마케팅관리 김종림

ⓒ 김동현 2022

등록일 1994년 10월 27일
등록번호 제2-1825호
주소 서울 도봉구 덕릉로 54가길 25(창동 557-85, 우 01473)
전화 02)2237-3301, 2237-3316 **팩스** 02)2237-3389
이메일 ssbooks@chol.com

ISBN 978-89-8120-637-6(03980)